D0519211

De Club Zonder Naam

Een geheime liefde en een vreemde zaak

Wil je meer lezen over De Club Zonder Naam?

Lees dan ook deel 1 en 2:

Inhoud

De pyjama van Daan en een belangrijke afspraak

De klas van juf Willeke is al aan het werk als de deur langzaam opengaat. Daan gluurt met één oog naar binnen.
'Waarom sta je daar zo stom?' vraagt juf een beetje geërgerd.
'Nou,' legt Daan uit, 'u wordt altijd boos als ik zomaar de klas binnenstorm. Daarom dacht ik: ik doe het nu maar eens wat rustiger.'
Juf rolt even met haar ogen. 'Daan!' zegt ze dan. 'Ik word niet boos om de manier waaróp jij de klas in komt. Maar ik word doodeenvoudig boos als je te láát bent.'
Daan knikt. 'Dat weet ik, ja.'
De klas begint te lachen
'En mag ik vragen waarom je dit keer niet op tijd bent?' vraagt juf streng.
'Eh... het ging allemaal een beetje mis, want ik kreeg mijn pyjama ineens niet meer uit.'
'Wat is dat nu weer voor onzin?'
'Ja, ik sliep nog een beetje, denk ik.'
'Geloof je het zelf?' vraagt juf spottend. 'Vanmiddag blijf je een uur na.'
'Nee!' roept Daan geschrokken. 'Dat kan niet, want ik ga vanmiddag pannenkoeken eten bij de buurman van ons clubhuis.'
'Onzin,' zegt juf. 'Dat is pas om halfzes.'
Daan staart haar verbaasd aan. 'Hoe weet u dat nou?' vraagt hij.
Nu wordt juf een beetje rood. Maar gelukkig valt het niemand

op. 'Nou, eh... dat wéét ik eigenlijk niet. Maar, eh... de meeste mensen eten toch zeker niet eerder dan halfzes? Dus het lijkt me geen enkel punt als je hier na schooltijd een uurtje zit. Het is nu al de derde keer deze week dat je te laat bent!'

'Kan ik het helpen,' mompelt Daan verontwaardigd. En dan sloft hij naar zijn tafel.

Die middag zit Daan in de klas, terwijl juf Willeke een stapel schriften nakijkt. Hij kijkt door het raam en ziet Koen, Lot, Els en Tom het plein af gaan. Hij baalt als een stekker. Hij was graag gewoon met de rest van de club meegelopen. En nu zit hij zich hier stierlijk te vervelen.
Ineens gaat de deur open. Meester Martijn steekt zijn hoofd om de deur en vraagt: 'Zeg, Willeke? Heb je zin om straks met Jan, Ineke en mij een pizza te gaan eten?'
Juf lacht. 'Dat zou ik wel leuk vinden, maar ik heb om halfzes een afspraak.'
'Ach, wat jammer,' zegt meester Martijn. 'Kun je die niet verzetten?'
'Nee, absoluut niet. Het is belangrijk. Daar moet ik echt bij zijn.'
Meester Martijn trekt een vragend gezicht, maar juf Willeke schudt haar hoofd. 'Echt niet!'
'Jammer,' zegt meester Martijn nog een keer. 'Dan moeten we het maar zonder jou doen.'
'Nou, dat gaat vast wel lukken. Eet smakelijk alvast!'

'Waar moet u echt bij zijn, juf?' vraagt Daan even later nieuwsgierig.
'Dat zal ik jou aan je neus gaan hangen! Nee, Daantje, dat zeg ik niet.'
'Zeker een geheime liefde,' probeert Daan.
'Doe niet zo stom!' zegt juf. 'Over zes weken ga ik nota bene met Jan-Jaap trouwen!'
'Nou, het had toch zeker gekund?' Daan kijkt op de klok. Het is vier uur. Dan schiet hem ineens iets te binnen. 'Juf, moest u niet nog iets doen?'

'Hoe bedoel je?'
'Nou... misschien moet u zich nog verkleden. Of een beetje opmaken of zo. U hebt toch een afspraakje?'
'Mm,' zegt juf. 'Verkleden vind ik niet echt nodig, maar ik heb nog wel het een en ander te doen, ja.'
Daan knikt tevreden. 'Zie je! Dat dacht ik al. Wacht, juf, ik heb een idee. Als ik nu gewoon wegga, dan kunt u ook nog even lekker naar huis.'
Juf Willeke kijkt Daan verbluft aan. En dan schiet ze in de lach. 'Vooruit, ik wil eigenlijk ook wel weg. Ga maar gauw.'
'Gelukt!' roept Daan opgetogen. Hij grist snel zijn schooltas mee en stormt de klas uit. 'Tot morgen!' roept hij vrolijk.
Juf kijkt Daan lachend na. 'Ja,' zegt ze. 'Ik kan echt niet wachten tot ik je weer zal zien.'

Een leuk nieuwtje en veel pannenkoeken

'Is iedereen er al?' vraagt juf Willeke als ze samen met Jan-Jaap bij buurman Bol de tuin in stapt.
'Alle leden van de club zitten achter op het terras,' zegt de buurman. 'Behalve Daan.'
'Het zal toch niet waar zijn?' zegt Jan-Jaap. Hij kijkt vragend naar juf Willeke. 'Je vertelde me net nog dat die jongen een uur moest nablijven, maar dat hij om vier uur al naar huis mocht.'
Juf Willeke haalt lachend haar schouders op. 'Ach ja,' zegt ze, 'er zal wel weer iets fout zijn gegaan.'
'En, eh...' vraagt Jan-Jaap aan buurman Bol. 'Die andere gast? Is die er wel?'
'Jazeker,' zegt de buurman glimlachend. 'Maar die zit nog even veilig boven.'
Jan-Jaap knikt. 'Dan is het goed. Kom, Willeke, dan gaan we naar het terras.'
Als de clubleden opeens hun juf met haar vriend aan zien komen, snappen ze er niets van.
'Juf!' roept Tom uit. 'Waarom bent u hier ook? En dan nog wel samen met Jan-Jaap!'
'Tja,' zegt juf Willeke geheimzinnig. 'Dat merken jullie straks wel. Wacht maar gewoon af.'
De clubleden kijken elkaar een beetje verbaasd aan. Wat zou er aan de hand zijn?

Als ze allemaal rond de tuintafel zitten, komt Daan met een rode kop de tuin in rennen. Iedereen begint te lachen.
Ineens blijft Daan stokstijf staan. 'Nu snap ik waarom u vanmorgen zei dat ik pas om halfzes pannenkoeken ging eten,' roept hij opgetogen. 'Dus dít was uw afspraak, juf?'
'Ja,' zegt Willeke lachend. 'En niet met een geheime liefde, zoals je ziet. Maar hoe komt het dat je nu alweer te laat bent? Had je goudvis diarree?'
Daan grijnst. 'Nee, juf, goed dat u die onthouden hebt, maar dit keer heb ik geen smoes. Ik was gewoon mijn fiets vergeten. En toen ik het merkte, was ik al bijna hier. Dus, ja... vandaar.'
'Ongelooflijk,' mompelt Jan-Jaap. 'Wat een portret.'
'Ja, hè?' zegt Willeke. 'Maar verder is het echt een schat.'
En dan laat de schat zich met een plof op een tuinstoel vallen.
'Wat willen jullie drinken?' vraagt buurman Bol.
'Een wit wijntje graag,' zegt juf Willeke.
'Mm,' zegt Jan-Jaap. 'En ik zou wel een biertje lusten.'
Buurman Bol knikt. 'Een witte wijn en een biertje.' Hij kijkt naar de kinderen. 'En jullie?'
'Doe mij ook maar een biertje,' zegt Daan opgewekt.
Lot begint te proesten.
'Nee, hoor. Geintje,' zegt Daan met een brede grijns. 'Ik wil graag cola.'

Even later zitten ze allemaal met een glas drinken en wat lekkers in de tuin.
'Heel fijn dat jullie er allemaal zijn,' zegt buurman Bol tevreden. 'We gaan straks pannenkoeken eten. Maar eerst moet ik jullie een leuk nieuwtje vertellen. Dan snappen jullie meteen

waarom Jan-Jaap en juf Willeke er ook bij zijn. Eigenlijk is het allemaal de schuld van die twee daar.' Hij wijst naar Koen en Lot. 'Een tijdje geleden hebben ze namelijk een advertentie voor mij op internet gezet, zonder dat ik het wist.'
Buurman Bol kijkt Koen aan. 'Vertel jij het eigenlijk maar.'
'Nou, eh...' begint Koen. 'Lot en ik vonden het zielig dat buurman Bol zo vaak alleen was. Daarom hebben we via internet geprobeerd om een leuke vriendin voor hem te zoeken.'
'En,' gaat buurman Bol verder, 'om een lang verhaal kort te maken: dat is ze dus nog gelukt ook. Op een dag kwamen ze me ineens een paar mailtjes brengen, en op één van die mailtjes heb ik gereageerd, want dat was een erg lieve brief.'
'Tjeempie,' roept Daan. 'En toen?'

'Nou, ja,' zegt buurman Bol lachend. 'Uiteindelijk hebben we een afspraak met elkaar gemaakt en...'
'Nu bent u verliefd?' vraagt Lot opgewonden.
Dan wordt buurman Bol een beetje verlegen. 'Dat kun je wel zeggen. Ik ben behoorlijk verliefd, ja.'
Koen en Lot stoten elkaar opgetogen aan. 'Wie is het?' vraagt Koen nieuwsgierig.
'Ik zal haar wel even gaan halen,' zegt buurman Bol. 'Ze is namelijk boven, en ze bakt de lekkerste pannenkoeken van de hele wereld. Maar dat zullen jullie straks vanzelf wel merken.'
En dan loopt hij snel het huis in.

Even later komt de buurman weer naar buiten. 'Kijk,' zegt hij trots. 'Dit is nou Marijke!'
'Hallo allemaal,' zegt Marijke nog een beetje ongemakkelijk.
Koen en Lot kijken elkaar stomverbaasd aan. 'Maar wij kénnen u al!' roept Koen.
'Hoe kan dat nou?' vraagt Marijke verrast. 'Jullie komen me inderdaad wel bekend voor. Maar waar hebben we elkaar dan gezien?'
'Nou,' zegt Lot, 'buurman Bol had ons verteld dat hij een afspraak had met iemand in restaurant De Gouden Leeuw. En toen zijn we daar stiekem even gaan kijken en toen zijn we tegen u opgebotst.'
'O, hemeltje, ja!' roept Marijke. 'Nu weet ik het weer. Dat was mijn schuld. Ik rende de hoek om, omdat ik eigenlijk al te laat was.'
'Hoor je dat, Daan?' zegt Tom lachend. 'Oók al te laat. Misschien is die mevrouw wel familie van je.'

‘Nee,’ zegt Jan-Jaap dan. ‘Van mij.’
‘Hoezo?’ vraagt Els. ‘Die snap ik niet.’
‘Ik bedoel,’ legt Jan-Jaap uit, ‘dat Marijke geen familie is van Daan, maar van mij. Marijke is namelijk mijn moeder.’
‘Wat?’ roept Lot uit. ‘Dat is toch niet waar?’
‘Jawel,’ zegt Marijke. ‘Jan-Jaap is mijn zoon.’

Het blijft even stil.
‘Krijg nou het heen en weer!’ mompelt Daan.
En dan beginnen Tom, Els en Daan opgewonden door elkaar heen te roepen. ‘Hoe kan dat nou?’ en: ‘Wist Jan-Jaap daar iets van?’ en: ‘Waarom hebben Koen en Lot ons daar niets over verteld?’
‘Nou,’ zegt Koen, ‘dat is heel simpel. We hadden buurman Bol beloofd dat we er met niemand over zouden praten. Maar, eh... we wisten niet dat hij nu echt een vriendin had, en ook niet dat dat de moeder van Jan-Jaap was. Dat is gewoon verschrikkelijk toevallig.’
‘Zeg dat wel,’ zegt buurman Bol. ‘Het was voor ons ook heel gek toen we daar achterkwamen. Dat kwam doordat Marijke me allerlei dingen over Jan-Jaap vertelde. Toen werd me opeens van alles duidelijk.’
‘En Jan-Jaap wist daar dus allemaal ook niets van af?’ vraagt Daan vol ongeloof.
‘Nee,’ zegt Jan-Jaap. ‘Niets. Wij hoorden het pas toen we op een avond bij mijn moeder koffie gingen drinken.’
‘En?’ vraagt Daan. ‘Vond je het leuk?’
Jan-Jaap kijkt even naar buurman Bol. ‘Ach... het begint al een beetje te wennen.’

Dan geeft hij buurman Bol een vette knipoog. 'Nee, hoor,' zegt hij. 'Ik zei tegen mijn moeder dat ik zelf geen lievere vriend voor haar had kunnen uitzoeken. Kortom, ik vind het heel leuk. Voor mijn moeder en voor buurman Bol. En ook voor mezelf, natuurlijk.'
'Nou, dat geloof ik,' zegt Tom meteen.
'Dank je, Tom,' zegt buurman Bol een beetje ontroerd.

Even later gaat Marijke samen met juf Willeke pannenkoeken bakken en de anderen gaan intussen een potje kaarten.
Het wordt een supergezellig etentje. 'U hebt helemaal gelijk, buurman,' zegt Tom. 'Marijke bakt inderdaad de lekkerste pannenkoeken ter wereld.'
'Ja, hè?' zegt buurman Bol trots. 'Ik heb er al zes op. Ik mag wel oppassen, want zo meteen gaan jullie me nog buurman Boller noemen.'
'Of Bolst,' voegt Daan eraan toe.
'Ach,' zegt Marijke, 'als het te erg wordt, zet ik hem wel op dieet.'
En dan volgt er nog een vraag van Jan-Jaap: 'Zijn jullie trouwens woensdagmiddag in het clubhuis? Want in dat geval kom ik graag even langs.'
'Hoezo?' vraagt Tom.
Jan-Jaap lacht. 'Dat horen jullie woensdag wel!'

Een oud speelgoedautootje en een geheime liefde

'Kijk eens,' zegt juf Willeke als ze maandagmorgen voor de klas staat. Ze houdt een klein, ouderwets speelgoedautootje omhoog.
'Wat grappig,' zegt Tom. 'Dat is vast al heel oud.'
Juf knikt. 'Klopt. Ik was gisteren bij mijn moeder de zolder aan het opruimen en toen vond ik het ergens achter een doos. Mijn opa verzamelde die dingen vroeger. En dit was zijn lievelingsautootje.'
'Wat gaat u ermee doen?' vraagt Lot.
'Ik denk dat ik het in mijn nieuwe huis op de schoorsteen ga zetten,' zegt juf.
'Krijgt u dan een nieuw huis?' vraagt Koen.
'Waarschijnlijk wel. Jan-Jaap en ik hebben inmiddels iets leuks op het oog. Als alles goed gaat, is het begin volgende maand van ons. Dan kunnen we het huis gaan opknappen en dan kunnen we er na de bruiloft in.'
'Mogen wij dan ook komen?' vraagt Els.
'In ons nieuwe huis?'
'Nee, op de bruiloft.'
'Maar natuurlijk!' roept juf. 'Dat is toch logisch? Ik zou jullie echt niet willen missen op zo'n bijzondere dag! Jullie mogen zelfs 's avonds op het feest komen!'
Er gaat een luid gejoel op. Iedereen vindt het geweldig.
'En wat gaat er dan gebeuren op het feest?' vraagt Joris als het weer stil is.

'Dat moeten jullie maar aan de ceremoniemeester vragen,' zegt juf. 'Hij gaat al dat soort dingen regelen. Voor Jan-Jaap en mij is het allemaal nog een verrassing.'
'Wie is de ceremoniemeester eigenlijk?' vraagt Koen.
'Dat zien jullie vrijdag wel,' zegt juf. 'Dan komt hij namelijk hier in de klas om met jullie te praten. Ik heb begrepen dat ik in die tijd even naar het kamertje van meester Jan moet.'

En daarna gaat de klas aan het werk. Er staat een opstel schrijven op het programma. Juf Willeke pakt een stapeltje papier van haar bureau om uit te delen. En dan... Páts! Het autootje glijdt van het bureau af en stuitert op de grond. De onderdelen vliegen alle kanten uit.
'Die is stuk,' zegt Bart nuchter.
'Ach,' roept juf geschrokken. 'Wat jammer nou!' Ze gaat op haar hurken zitten en raapt alle onderdelen op.
'Geef ze maar aan mij, juf,' zegt Joris. 'Misschien kan ik het wel weer maken.'
'Denk je?' vraagt juf hoopvol.
'Ik kan het natuurlijk altijd proberen.' Joris haalt een mapje uit zijn broekzak en pakt er een schroevendraaiertje uit.
Juf Willeke legt alle onderdelen voorzichtig op de tafel van Joris. 'Ik hoop echt dat het lukt.'
'Ik zal mijn best doen,' zegt Joris. 'Maar ja, eh... ik weet alleen niet of er dan nog tijd overblijft om dat opstel te maken.'
'Nou,' zegt juf, 'ik denk dat ik daar wel overheen zal komen...'
De klas begint te lachen. Ze weten dat Joris echt een bloedhekel heeft aan alles wat met leren te maken heeft. En al helemaal aan het schrijven van een opstel.

Even later is iedereen rustig aan het werk. Alleen Daan doet niks. Hij staart met een grote glimlach op zijn gezicht naar buiten.
'Daan?' vraagt juf Willeke. 'Is er iets aan de hand?'
Maar Daan reageert niet.
'Dáán!' roept juf nu. 'Is er iets?'
'Eh, nee,' zegt Daan. 'Nee, eh... hoezo?'
'Tja,' zegt juf. 'In de eerste plaats was je vanmorgen op tijd. In de tweede plaats heb je de hele ochtend nog niets gezegd. En in de derde plaats ben je niet met je opstel bezig, maar zit je alleen maar naar buiten te staren.'
'Eh, ja,' mompelt Daan. 'Ik, eh... ik wacht op inspiratie.'
'O,' zegt juf Willeke. 'En duurt dat nog lang?' Ze begint te proesten. 'Nee, Daan, even serieus. Je gaat nu meteen aan het werk. Je hoeft tenslotte geen meesterwerk te produceren.'
'Oké,' zegt Daan met een diepe zucht. 'Maar kunt u me dan niet gewoon een onderwerp geven?'
'Goed. Schrijf maar iets over voetballen.'
Dan pakt Daan zijn pen en begint. *Voetballen* schrijft hij boven aan zijn papiertje. *Ik ben gek op voetballen* gaat hij dan verder. En daar blijft het bij, want daarna kijkt hij weer dromerig voor zich uit.
Juf Willeke ziet het. Geen idee wat er met die jongen is, denkt ze.
'Klaar!' roept Joris ineens. Hij loopt naar de tafel van juf en zet trots het autootje voor haar neus.
'Geweldig!' roept juf enthousiast. 'O, daar ben ik echt blij mee!' Ze staat op en geeft Joris een dikke pakkerd. Hij wordt er helemaal verlegen van.
'Pas maar op dat Jan-Jaap niet boos wordt, juf!' zegt Abdoel lachend.

Als aan het eind van de dag de bel gaat, loopt Daan zo snel mogelijk naar zijn fiets.
Hij kijkt niet eens naar Koen en Lot, die nog even samen op een bankje op het plein zitten.
‘Hé!’ roept Koen. ‘Kom je straks nog voetballen op het veld?’
‘Geen tijd,’ roept Daan terug. Hij springt op zijn fiets en rijdt weg.
‘Wat zou hij hebben?’ vraagt Lot verbaasd.

Koen haalt zijn schouders op. 'Je laat iets vallen!' roept hij. Maar Daan hoort het niet meer.
Koen staat op en pakt het stuk papier van de grond. Dan begint hij te lachen. Hij loopt terug en laat Lot zien wat hij gevonden heeft. Het is een foto van Daan met een onbekend meisje. Op de achterkant van de foto staat een groot hart getekend. Twee pijlen wijzen naar de namen *Daan* en *Jenny*.
Lot begint te schateren. 'Dus dát is het!' roept ze. 'Onze Daan heeft een geheime liefde!'

Als Daan de volgende morgen het plein op loopt, staan Koen en Lot hem al op te wachten.
'Ha, die Daan!' zegt Koen. 'Doe je mee? We hebben namelijk een leuk spelletje geleerd. Het heet: gedachtelezen.'
'Wat is dat nou weer?' vraagt Daan.

‘Let maar op!’ zegt Lot. ‘Als ik heel diep in je ogen kijk, kan ik je gedachten lezen.’
‘Klets niet, joh,’ bromt Daan. ‘Dat kan niemand.’
‘Maar ik wel,’ zegt Lot beslist.
Daan zucht. ‘Oké. Probeer het maar.’
Lot kijkt Daan zo doordringend mogelijk aan. ‘Hé!’ roept ze dan verrast. ‘Ik zie een meisje, Daan. Een meisje met lang blond haar en blauwe ogen.’
Daan wordt een beetje rood. ‘Kan niet,’ zegt hij kortaf.
‘Wat zie je nog meer?’ vraagt Koen nieuwsgierig.
‘Kap er maar mee,’ bromt Daan. ‘Stom spelletje.’
‘Nou,’ zegt Lot lachend. ‘Moet je niet zeggen, hoor. Ik zag namelijk ook nog dat je verliefd bent.’
‘Echt?’ vraagt Daan. Hij voelt zich knap ongemakkelijk. ‘Kun je echt gedachten lezen?’
‘Nee, hoor. Maar zo moeilijk is het niet, want je bent wel een beetje anders dan anders.’
‘En...’ zegt Koen geheimzinnig. ‘Daar komt nog wat bij. Gisteren heb je toevallig ook nog iets verloren. Kijk!’ Hij haalt de foto uit zijn jas en geeft hem aan Daan.
Daan propt de foto haastig in zijn zak.
‘Zie je wel,’ roept Lot. ‘Het klopt! Je bent gewoon hartstikke verliefd!’
‘Alleen maar een beetje,’ geeft Daan toe. En dan vertelt hij dat hij met zijn ouders laatst een weekendje weg was naar een vakantiepark, en dat hij op de laatste dag een meisje heeft leren kennen. Jenny, dus. En dat Jenny eergisteren gevraagd heeft of hij zaterdag bij haar thuis in Amsterdam wil komen.
‘O, wat leuk!’ zegt Lot. ‘Spannend.’

‘Ga je dan met de trein?’ vraagt Koen.
‘Nee. Mijn moeder zet me ’s middags met de auto bij haar huis af en gaat daarna zelf winkelen. En dan haalt ze me later weer op.’
‘Nou,’ zegt Lot een beetje pesterig, ‘we zullen zaterdag aan je denken, hoor. Het wordt vast heel romantisch.’
Nu is Daan het zat. ‘Wat zitten jullie nou te mekkeren?’ roept hij nijdig. ‘Jullie zijn al vanaf groep drie op elkaar, en Tom en Els zijn nu ook verliefd. Daar zeuren jullie toch ook niet over?’
Lot lacht even naar Koen. ‘Dat is waar,’ zegt ze. ‘Jij mag ook best verliefd zijn. En het zal vast heel leuk zijn bij Jenny.’
‘Maar vergeet niet te zoenen, hè?’ zegt Koen.
‘Ach, joh!’ zegt Daan kwaad. ‘Poep op!’

Groot nieuws en een gesprek in het clubhuis

Het is woensdag. Lot haalt Koen 's ochtends op voor ze naar school gaan. Als Koen naar buiten komt, roept hij meteen: 'Ik heb groot nieuws! En je raadt nooit wat het is!'
Lot kijkt hem nieuwsgierig aan. 'Wat voor nieuws?'
'Ik word fotomodel,' zegt Koen trots.
'Jij?' roept Lot stomverbaasd. 'Dat is toch zeker een geintje?'
'Nee, joh,' zegt Koen verontwaardigd. 'Het is echt waar. Gisteravond was er een vriendin van mijn moeder op bezoek, en die zocht nog een jongen voor een serie modefoto's. Het schijnt iets voor een of andere winkelketen te zijn. Ik denk dat ze me wel geschikt vond.'
'O, wat ontzettend leuk!' roept Lot enthousiast. 'En krijg je daar dan ook geld voor?'
'Ik geloof cadeaubonnen,' zegt Koen. 'Maar daar gaat het me helemaal niet om. Ik vind het alleen al hartstikke leuk om te doen.'
Lot knikt. 'Nou,' zegt ze, 'dat kan ik me voorstellen. Het lijkt mij ook geweldig.'

Als alle kinderen in de pauze op het plein staan, vertelt Koen ook aan Joris waar hij voor gevraagd is. En dan gaat het nieuws ineens als een lopend vuurtje over het schoolplein. Even later staat er een hele groep kinderen om Koen heen.
'Tjonge,' roept Bart opgewonden. 'Fotomodel! Ik wou dat ík zo'n kans kreeg!'

'Anders ik wel,' zegt Abdoel een beetje jaloers. 'Daar kun je hartstikke rijk mee worden, joh! Ik wil straks meteen een handtekening van je. Dan verkoop ik die later op Marktplaats.nl en dan verdien ik er ook nog wat aan.'
'Ho, ho!' roept Koen, die het nu allemaal net iets te hard gaat. 'Misschien gaat het straks wel helemaal niet door. Ik moet eerst nog een brief krijgen. En ik weet trouwens ook nog niet om wat voor reclame het precies gaat.'
'Nee,' zegt Lot. 'Je moet het allemaal gewoon nog even afwachten.'

Die middag zitten de clubleden vol spanning te wachten op de komst van Jan-Jaap.
'Ik ben benieuwd,' zegt Els. 'Wat zou hij van ons willen?'
'Geen idee,' bromt Daan. 'Hij is in elk geval wel vijf minuten te laat.'
Lot begint te schateren. 'Moet jij nodig zeggen!'
Dan zwaait de deur open en stapt Jan-Jaap binnen. 'Goedemiddag, allemaal,' zegt hij opgewekt. 'Sorry dat ik te laat ben, maar ik was even bij mijn vriend Teun. Er kwamen helemaal geen klanten in zijn videotheek, dus hij verveelde zich te pletter. En toen verzon hij het ene verhaal na het andere om me aan de praat te houden.'
'Prima smoes,' zegt Daan grijnzend. 'Daar kan ik nog wat van leren.'
'Ja, dat dacht ik al. Maar nu willen jullie vast graag horen waarvoor ik gekomen ben.'
Iedereen knikt.
Jan-Jaap wrijft eens nadenkend over zijn kin. 'Tja... ik wil jullie

iets vertellen over Bert. Het is alweer een tijdje geleden dat die jongen Tom het ziekenhuis in heeft geslagen. En gelukkig is Tom er nóg aardig vanaf gekomen, met zijn hersenschudding. Het had tenslotte ook veel erger kunnen zijn.'
'Nou!' zegt Els uit de grond van haar hart.
'Ja,' zegt Jan-Jaap. Hij kijkt even naar Tom, die er weer supergezond uitziet. 'In elk geval heb ik, toen Tom weer thuis was, gevraagd of hij het goed vond als ik eens met Bert zou gaan praten. Tenslotte had die jongen het al jaren op Tom gemunt, en ik hoopte dat ik op die manier misschien een eind aan dat eeuwige gepest zou kunnen maken. Tom vond dat goed, en dus ben ik een keer bij Bert en zijn moeder op bezoek geweest.'
'En wat zei Bert?' vraagt Lot meteen.
'Nou... het eerste kwartier kón hij eigenlijk niet eens wat zeggen. Hij begon steeds weer te huilen omdat hij het zo erg vond.'
'Nou,' bromt Daan, 'dat mag ook wel, dacht ik zo. Tom had wel dood kunnen zijn.'
'Klopt,' zegt Jan-Jaap rustig. 'Maar gelukkig zit hij hier springlevend. In elk geval is tijdens dat gesprek wel duidelijk geworden dat Bert het ook niet erg gemakkelijk heeft. Het gaat bij hem thuis niet goed, en op school gaat het al niet veel beter. Dat is natuurlijk absoluut geen excuus voor wat hij gedaan heeft, maar het verklaart wel het een en ander. In elk geval weet ik zeker dat jullie nooit meer last van die jongen zullen hebben.'
'Ik ook,' zegt Tom. 'Jan-Jaap is daarna trouwens ook nog met Bert bij mij geweest en toen hebben we het helemaal goedgemaakt.'
'Nou, zeg,' blaast Daan verontwaardigd. 'Hij heeft je al die jaren gepest! Daarom ging je zelfs naar een andere school!'

Tom lacht. 'Ja, maar toen kwam ik wel mooi bij jullie in de klas. Ik mag hem daar haast wel voor bedanken.' Maar dan kijkt hij opeens weer ernstig. 'Bert vertelde dat hij ontzettend jaloers op me was omdat ik nu échte vrienden had, en hijzelf niet. Maar hij heeft echt heel vaak zijn excuses aangeboden.'
Het blijft nu een tijdje stil in het clubhuis. Iedereen denkt na.
'Tja,' zegt Lot peinzend. 'Als hij nu echt spijt heeft... dan, eh...'

'Dat heeft hij,' zegt Jan-Jaap beslist. 'En nogmaals, jullie zullen geen last meer van hem hebben. Dat verzeker ik je. En ik hoop dat jullie dat van me willen aannemen.'
Koen en Els knikken.
'Mm,' bromt Daan. 'Nou, ik moet het allemaal nog zien. Ik weet nog niet wat ik ga doen als ik die gozer tegenkom...'

Die avond lukt het Els maar niet om in slaap te vallen. Ze denkt steeds weer terug aan alles wat er de afgelopen maanden is gebeurd. Aan de voetbalwedstrijd tussen hun eigen school en de school van Bert, waarbij Bert Tom zo gemeen onderuit had geschopt. Aan het raam van hun clubhuis dat Bert had vernield, en aan die afschuwelijke vechtpartij. Tom klapte toen met zijn hoofd op de stoeprand en was meteen bewusteloos. Ze was ontzettend bang geweest toen hij met de ambulance naar het ziekenhuis werd gebracht. Juist Tom, op wie ze in het geheim al bijna twee jaar verliefd was. En wat was ze blij geweest toen ze bij Tom op bezoek was en hem het briefje had gegeven waarin stond dat ze op hem verliefd was. 'Ik ook op jou!' had Tom toen gezegd. 'Ik ook op jou, Els!' En sinds die tijd is het dus aan, en gaat ze elke dag dolblij naar school omdat Tom vaak zo lief naar haar kijkt.
En zo denkt en draait en woelt Els maar door in haar bed. Tot ze eindelijk, ver na middernacht, in slaap valt...

Een ceremoniemeester en een fantastisch plan

Het is vrijdag. De pauze is weer voorbij. Lot trekt Koen even aan zijn arm. 'Heb je eigenlijk al iets gehoord over die reclamefoto's?'
Koen knikt. 'Gisteravond kreeg ik een e-mail en volgende week zaterdag word ik verwacht in een of andere fotostudio in Utrecht.'
'Kan ik niet mee?' vraagt Lot enthousiast. 'Misschien word ik dan ook wel ontdekt. Het lijkt me fantastisch om model te zijn.'
'Ik kan het vragen,' zegt Koen. 'Mijn moeder brengt me, dus je zou zo mee kunnen rijden. Dat vindt ze vast wel goed.'
'Ik hoop het maar,' zegt Lot. En dan lopen ze samen met de anderen de klas in.
Juf Willeke heeft net al haar spullen in haar tas gestopt. 'Nou, ik ga vast,' zegt ze. 'Dan kunnen jullie zo ongestoord met de ceremoniemeester over onze bruiloft praten.'
'Reken maar, juf,' roept Abdoel lachend.
Juf is de klas nog niet uit of buurman Bol stapt ineens opgewekt binnen.
'U hier?' vraagt Koen verbaasd.
'Ja,' zegt buurman Bol. 'Ik ben door het bruidspaar aangesteld als ceremoniemeester. Wie had je dan verwacht? Sinterklaas misschien?'
'Als dát zou kunnen!' roept Daan. 'Ik lust het hele jaar wel pepernoten!'

'Het zal toch niet waar zijn?' zegt buurman Bol vrolijk. 'Maar nu iets anders. Voor diegenen die me nog niet kennen, zal ik me even voorstellen. Mijn naam is Hans van Barneveld. Maar de leden van De Club Zonder Naam noemen me altijd buurman Bol.'
'Ja, dat snap ik wel!' roept Joris. Hij schrikt er zelf van en krijgt een rood hoofd.
'Geeft niks,' zegt buurman Bol. 'Ik hou nu eenmaal van lekker eten. Noemen jullie me ook maar gewoon buurman Bol. Dat is wel zo gemakkelijk. In elk geval weten jullie al dat jullie op de dag van de bruiloft ook op het feest mogen komen.'
'Ja!' roept Nina enthousiast. 'Geweldig, hè?'
'Dat is zeker geweldig,' zegt de buurman. 'Maar we moeten met z'n allen natuurlijk wel iets leuks regelen waarmee we het bruidspaar kunnen verrassen.'
'Kunnen we de bruidstaart niet laten ontploffen?' vraagt Daan.
'Ongetwijfeld. Maar we kunnen vast wel iets beters bedenken. En verder moet er natuurlijk ook een mooi cadeau komen.'
'Laten we ze twee kippen geven,' stelt Els voor. 'Dan hebben ze elke dag verse eieren.'
'Maar misschien houden ze helemaal niet van eieren,' merkt Joris op.
'Geen punt!' roept Abdoel. 'Gebraden zijn kippen tenslotte ook lekker. Ieder een kip. Maar dan moeten we er wel een pot appelmoes bij doen.'
Buurman Bol vindt het allemaal wel grappig. 'Weet je,' zegt hij, 'laten we eerst maar eens kijken hoe jullie op een leuke manier naar het feest kunnen komen. Eerlijk gezegd heb ik al een plannetje bedacht.'

‘Wat voor plannetje?’ vraagt Tom nieuwsgierig.
‘Let op! Als we nou eens net doen alsof jullie op het laatste moment van de brandweer níét op het feest mogen komen. Zogenaamd omdat er controle is geweest, en de feestzaal volgens de voorschriften van de brandweer net iets te klein is voor zo veel gasten.’
‘Nee,’ roept Els. ‘Dat vind ik zielig voor juf!’

'Ach,' zegt buurman Bol, 'dat zielige duurt maar twee minuutjes. Tenminste, als alles gaat zoals ik hoop. En daarna komt er dan een superverrassing.'

De klas snapt er helemaal niets van. 'Hoe dan?' vraagt Bart.
'Nou, kijk,' gaat de buurman verder. 'Een vriend van mij werkt toevallig bij de brandweer. En nu had ik het eigenlijk zo bedacht: als het feest begint, vertel ik het bruidspaar waarom jullie er helaas niet bij zijn. En dan zorg ik ervoor dat jullie even later met een echte brandweerauto gebracht worden.'
'Met zwaailicht?' vraagt Abdoel meteen, want hij is dol op alles wat een zwaailicht heeft.
'Natuurlijk,' zegt buurman Bol. 'En sirene!'
De klas begint nu druk door elkaar te roepen. Iedereen vindt het een hartstikke leuk plan.
'En dan nu het cadeau,' zegt buurman Bol, als het weer rustig is.
'Misschien iets voor hun tuin, want die moet nog helemaal opgeknapt worden,' denkt Nina hardop. 'Dat zouden ze in de zomervakantie gaan doen. Toen ik laatst klassendienst had, vertelde juf me nog dat ze van een vijvertje droomde, met een bankje, en allemaal leuke planten eromheen. En dat ze daar dan 's avonds met Jan-Jaap lekker een wijntje kon drinken.'
'O!' zegt buurman Bol verrast. 'Goed dat je dat vertelt. Misschien kunnen wij dan als verrassing hun tuin heel mooi gaan maken.'
Tom kijkt een beetje bedenkelijk. De buurman ziet het en vraagt: 'Vind je het geen goed idee?'
'Dat wel...' zegt Tom aarzelend. 'Maar het kan nooit echt een

verrassing zijn, want ze zijn natuurlijk steeds in hun nieuwe huis aan het werk.'
Buurman Bol knikt. 'Dat is waar. Je hebt helemaal gelijk.' Hij denkt even na. 'Maar, wacht eens... Het kan wél! Want na afloop van het feest gaan Jan-Jaap en juf Willeke meteen naar een hotel en dan komen ze zondagavond pas terug.'
'Komt dat even mooi uit!' zegt Koen. 'Dan kunnen we die zaterdag na het feest meteen aan de slag. En als iedereen dan als cadeau een plant of een struik meeneemt...'
'Fantastisch plan!' zegt buurman Bol enthousiast. 'Geweldig, Koen.'
Koen straalt. 'Ja, hè?'
'Nou!' zegt de buurman. 'Ik was trouwens van plan om jullie vanmiddag allemaal een brief mee te geven voor jullie ouders. Dan zal ik daarin ook vragen of ze ermee akkoord gaan dat jullie de dag na de bruiloft een plant meenemen.'
'Ja,' zegt Bart, 'dat klinkt allemaal wel goed, maar dan hebben we géén cadeau op het feest.'
'Nee,' mompelt buurman Bol. 'En dat zou natuurlijk niet leuk zijn. Voor hen niet, maar voor jullie ook niet. Eh, laat me eens denken...' Even later schiet hem iets te binnen. 'Ik weet iets. Bij mij in de schuur staat nog een houten tuinbankje. Dat zal ik mooi afschuren en wit verven. Als dat gebeurd is, ziet er het weer als nieuw uit. En dan schrijven jullie daar allemaal je naam op met een zwarte stift. Daarna zal ik het bankje een paar keer lakken, zodat jullie namen er niet meer af kunnen regenen. Dat is dan een mooi cadeau om tijdens het feest te geven.'
'En die vijver?' vraagt Els.

'Tja... dat is wat lastiger,' zegt buurman Bol. 'Ik zou niet weten hoe je zoiets zou kunnen regelen.'
'Maar ik wel!' roept Joris. 'Vorig jaar heb ik met mijn vader een vijver in de tuin van mijn oma gemaakt.'
'Dat is prachtig,' zegt de buurman blij. 'Misschien zou jij dan samen met je vader een lijstje kunnen maken van de spullen die daarvoor nodig zijn.'
'Doe ik,' zegt Joris trots.
'En hoe bieden we het cadeau aan?' vraagt Lot.
'Misschien kan iemand een leuke toespraak houden,' zegt de buurman.
'Zal ik dat doen?' vraagt Daan. 'Dan doe ik het op rijm.'
Buurman Bol knikt. 'Prima. Dat lukt je vast wel. Nou... ik denk eigenlijk dat we het meeste nu wel geregeld hebben. Een week voor de grote dag kom ik nog een keer terug, en dan praten we alles nog eens door. O, ja... en straks schrijf ik dus een brief, en die kopieer ik voor jullie ouders. Ik zet mijn telefoonnummer erbij voor als ze nog iets willen vragen.'
Dan gaat de bel. 'Mooi op tijd,' zegt buurman Bol lachend. 'Eet smakelijk allemaal! En denk erom: Jan-Jaap en juf Willeke mogen hier niets van weten! Is dat afgesproken?'
'Natuurlijk!' roept Koen.
'Goed,' zegt buurman Bol. 'Tot vanmiddag dan, als ik de brieven kom afgeven.'

Een werkstuk over ballet en de ontsnapping van Daan

'Veel plezier!' zegt de moeder van Daan, als ze de auto voor het huis van Jenny heeft geparkeerd. 'Kijk, Daan, de moeder van Jenny staat voor het raam. Volgens mij is ze aan het bellen.'
Daan zwaait een beetje zenuwachtig naar de vrouw. Zijn moeder probeert hem gerust te stellen. 'Het wordt vast gezellig, Daan. Het is nu halftwee en ik haal je om vier uur weer op.'
'Wel vroeg, hoor,' pruttelt Daan. 'Wat kun je nou doen in die tijd?'
'Geen idee,' zegt zijn moeder lachend. 'Dat moeten jullie zelf maar bedenken, maar dat komt wel goed. Ik zie je straks.'
'Oké,' zegt Daan. Hij geeft zijn moeder snel een kus en stapt de auto uit.
Zijn moeder zwaait nog even naar de moeder van Jenny en steekt haar duim op. Dan rijdt ze weer weg.
Jenny doet open. 'Daar ben je dan,' zegt ze. 'Hang je jas maar aan de kapstok, dan gaan we naar boven. Mijn moeder zit nu aan de telefoon, dus we gaan straks wel wat drinken.'
Ze is nog niet uitgesproken of de moeder van Jenny komt de gang in. 'Ja,' zegt ze. 'Mijn baas belde net. Er is iemand ziek geworden en het is ontzettend druk in de winkel. Nu vroeg hij of ik alsjeblieft een paar uur kon komen werken. Maar dat komt nu wel een beetje rot uit. Vinden jullie het heel erg?'
'Nee, hoor,' zegt Daan. 'Geeft niks.'
'Fijn,' zegt de moeder van Jenny opgelucht. 'Jenny, schenk jij dan even wat te drinken in voor jullie. En veel plezier, hè?'

‘Dat drinken doen we later wel,’ zegt Jenny als haar moeder de deur uit is. ‘Kom, we gaan naar boven.’
Een beetje onwennig stapt Daan naar binnen. ‘Mooie kamer heb je,’ zegt hij. Hij loopt naar het bed en gaat op de rand zitten.
‘Hé!’ roept Jenny. ‘Niet op mijn bed!’
Daan springt overeind. ‘Sorry, hoor,’ zegt hij een beetje geschrokken.
Jenny loopt snel naar haar bed en trekt de sprei weer recht. ‘Mijn bed moet altijd netjes zijn. Je kunt wel op dat krukje zitten.’ Ze wijst naar een piepklein krukje en gaat zelf op haar bureaustoel zitten. En dan is het stil.
‘Nou?’ vraagt Daan na een tijdje. ‘Wat zullen we gaan doen?’
Jenny haalt haar schouders op. ‘Zeg jij het maar. Jij bent de gast.’
Daan kijkt uit het raam. ‘Heb je een bal?’ vraagt hij. ‘Dan gaan we naar buiten.’
Jenny springt overeind. ‘Heb je mijn laarzen niet gezien?’ roept ze verontwaardigd. ‘Ze zijn net nieuw. Daar ga je toch zeker niet mee ballen?’
‘O, sorry,’ stamelt Daan een beetje overdonderd. Eigenlijk vindt hij het maar onzin. Jenny zal toch zeker wel een paar andere schoenen hebben? Maar hij zegt het niet. ‘Eh... zullen we dan een film gaan kijken?’
Jenny zucht eens diep. ‘Weet je niks beters te verzinnen? Ik heb dus echt geen zin in een film.’
Daan denkt koortsachtig na.
‘Ben jij handig met de computer?’ vraagt Jenny dan.
‘Best wel,’ zegt Daan opgelucht. ‘Welke spelletjes heb je allemaal?’
Jenny kijkt Daan met grote ogen aan. ‘Spelletjes? Ik heb wel wat

anders te doen. Je kunt me mooi helpen met mijn werkstuk over ballet. Plaatjes erbij zetten en zo.'
'Oké,' zegt Daan. Jenny valt hem vies tegen, maar hij is allang blij dat hij nu in elk geval iets kan dóén.
Even later zit Daan achter de computer balletplaatjes te zoeken.
'Is dit een mooi plaatje?' vraagt hij.
'Nee, natuurlijk niet,' zegt Jenny kattig. 'Die daarnaast is veel leuker. Dat zie je toch zo?'
En zo gaat het maar door. 'Als jij nou even kijkt of er nog fouten in staan,' beveelt Jenny. 'Dan kunnen we daarna iets anders doen.' Zelf pakt ze een tijdschrift en ploft languit op haar bed.

Daan weet niet wat hij ziet. Nu gaat dat stomme kind nota bene op bed liggen! En dat moest toch zo nodig netjes blijven? Hij baalt als een stekker. In het vakantiepark leek Jenny toch echt leuk. Zuchtend leest hij de tekst van het werkstuk door. Hij verandert drie keer *ik wordt* in *ik word* en dan vindt hij het wel mooi geweest. ‘Klaar,’ bromt hij.
Jenny kijkt op van haar tijdschrift. ‘Goed. Dan hoef je het nu alleen nog maar uit te printen. De perforator staat in de kast, en er ligt nog wel een snelhechter in mijn bureaula.’ En dan leest ze weer verder.
‘Hier,’ zegt Daan even later. Hij mikt het werkstuk naast Jenny op het bed.
‘Hé!’ roept Jenny geërgerd. ‘Doe je een beetje voorzichtig met mijn werk?’ Ze pakt de snelhechter en gooit hem met een boog op haar bureau. ‘Dat is dan ook weer gebeurd,’ zegt ze tevreden.
Wat een stomme griet, denkt Daan. Het lijkt wel of ze me gewoon heeft laten komen om dat werkstuk af te maken. Hij kijkt uit het raam. Buiten zijn een paar jongens aan het voetballen: twee tegen drie.
Daan kijkt naar Jenny. ‘Wat zullen we nu gaan doen?’ vraagt hij.
‘Verzin zelf maar wat,’ zegt Jenny. ‘Ik moet dit echt even lezen.’
Nu wordt Daan echt kwaad. Ik ben wel goed, maar niet gek, denkt hij. Hij kijkt op zijn horloge. Het is pas kwart over twee. Buiten heeft een jongen gescoord. ‘Ik ga weer,’ zegt hij plotseling.
Jenny kijkt niet eens op. ‘Oké,’ zegt ze. ‘Nou, doei.’
Daan loopt de trap af. Hij pakt zijn jas van de kapstok en gaat naar buiten.
‘Mag ik meedoen?’ roept hij.

Even later rent hij opgewekt achter de bal aan en het gaat geweldig. Hij scoort zelfs twee keer.
Als zijn moeder om vier uur met de auto aan komt rijden, zit Daan al op de stoeprand te wachten.
'En?' vraagt zijn moeder. 'Hoe was het?'
'Gewonnen!' zegt Daan opgewekt. 'Met acht-vijf!
'Hè? Heb je dan met Jenny gevoetbald?'
'Gelukkig niet,' zegt Daan. 'Wat een muts is dat! Ik heb nog nooit zo'n stom kind gezien!'
'O,' zegt zijn moeder een beetje beduusd. 'Wat is er dan gebeurd?'
'Dat vertel ik thuis wel,' bromt Daan. 'Laten we het nu maar over iets anders hebben, want ik heb het helemaal gehad met Jenny.'
Nu begint de moeder van Daan te lachen. 'Nou!' roept ze schaterend. 'Dan zal ik nog even geduld moeten hebben. Als je maar belooft dat ik het nog wel een keer te horen krijg, want ik brand van nieuwsgierigheid.'
'Is goed,' zegt Daan.

Een geslaagde spreekbeurt en een verhaal over een stom kind

'Kom, we gaan beginnen,' zegt juf Willeke. Het is maandag en dan komt de klas altijd een beetje moeizaam op gang. 'We gaan zo verder met rekenen, en dan moeten we ook nog een aantal spreekbeurten inplannen.'
'O, nee toch?' roept Fien geschrokken. Ze vindt een spreekbeurt houden doodeng. Vorige keer was ze misselijk van de zenuwen, en was ze zelfs in tranen uitgebarsten voor de klas.
'Niet schrikken, Fien. Een volgende keer valt het vast mee,' zegt juf Willeke opgewekt. 'Wat heb je trouwens gedaan in het weekend?'
'Geholpen op de kinderboerderij,' zegt Fien trots. 'En het was hartstikke leuk. Dikke Bertha was namelijk ontsnapt.'
'Wat zeg je me nou?' roept juf. 'Een joekelvarken? Daar wil ik alles van weten. Kom eens hier.'
Fien staat op en loopt naar voren.
'Vertel ons nu eens wat er precies is gebeurd.'
En dan vertelt Fien in geuren en kleuren hoe dat allemaal gegaan was, en dat de baas van de kinderboerderij zelfs languit in de modder was gevallen toen hij dikke Bertha probeerde te grijpen. Maar dat hij haar uiteindelijk toch te pakken had gekregen.
'Wat een verhaal,' zegt juf lachend. 'Geestig. Nou, jongens, was dit een mooie spreekbeurt of niet?'
'Maar dit was toch geen spreekbeurt?' vraagt Fien verbaasd.
'Waarom niet? Het gaat er maar om dat je voor de klas gaat

staan en iets vertelt. Je krijgt van mij een acht, want je hebt het ontzettend goed gedaan.'
'Een acht?' roept Fien. 'Bedankt, juf!' Ze is echt dolgelukkig.
'Je hebt het anders helemaal zelf gedaan hoor,' zegt juf Willeke. 'Misschien kunnen we dat wel vaker op maandagochtend doen. Gewoon even iets voor de klas vertellen over wat er in het weekend is gebeurd. Dat is een prima oefening. Nog iemand die het wil proberen? Niet allemaal tegelijk.'
Juf Willeke kijkt de klas rond, maar niemand steekt zijn vinger op.
Op dat moment vliegt de deur open en stapt Daan hijgend de klas binnen.
'Ah!' zegt juf Willeke. 'Mooi zo. Daar hebben we al een vrijwilliger. Nee, ga maar niet zitten, Daan. Zet je tas even in de hoek en ga maar voor het bord staan.'
Daan kijkt zijn juf een beetje verbaasd aan. Hij heeft geen idee wat er gaat gebeuren.
'Daan, je weet niet half hoe mooi op tijd je bent vandaag. We hebben net afgesproken dat we op maandag een nieuw soort spreekbeurt gaan houden. En je hoeft er thuis helemaal niets voor te doen. Is dat handig of niet?'
Daan knikt een beetje ongemakkelijk. Wat hangt hem nu weer boven het hoofd?
'Vertel maar,' zegt juf. 'Wat heb je dit weekend gedaan?'
Nu wordt Daan rood. Hij werpt een woeste blik naar Koen en Lot. Die stommerds hebben juf natuurlijk verteld over die afspraak met Jenny, denkt hij nijdig.
'Wat is er aan de hand?' vraagt juf, als ze ziet hoe Daan naar Koen en Lot kijkt. 'Hebben jullie soms ruzie?'

'Nou,' zegt Lot verontwaardigd, 'je hoeft niet zo vals te kijken! Wíj hebben niks gezegd, hoor!'
'Aha,' zegt juf. 'Wát hebben ze niet gezegd, Daan? Mogen wij ook even meegenieten?'
'Nou, oké dan,' zegt Daan schouderophalend. 'Ik ben zaterdag bij Jenny geweest.'
'Jenny?' vraagt Willeke. 'Wie is Jenny?'
'O, een meisje dat ik heb leren kennen toen ik laatst met mijn ouders een weekendje weg was.' En dan vertelt hij het hele verhaal. Dat zijn moeder hem zaterdag naar Amsterdam had gebracht, en hoe vreselijk stom dat kind eigenlijk was. En dat hij

zo'n beetje haar hele balletwerkstuk in elkaar had gezet, terwijl zij op bed een tijdschrift lag te lezen.
'Dat noem ik nog eens echte liefde!' zegt Abdoel met een brede grijns.
'En hoe is het afgelopen?' vraagt juf Willeke nieuwsgierig.
'Nou,' zegt Daan, 'na drie kwartier was ik het zat, en toen ben ik weggegaan. Gewoon de deur uitgelopen en naar buiten gegaan. Daar waren een paar jongens aan het voetballen en toen ben ik mee gaan doen.'
De klas begint te gieren van het lachen.
'Wat zei Jenny eigenlijk toen je ineens wegging?' vraagt Lot als het weer stil is.
'Niet veel,' zegt Daan. 'Ze zei alleen maar: *Nou, doei.*'
'En nu?' vraagt Tom.
'Vanmorgen zijn we officieel gescheiden,' zegt Daan droog.
Juf begint weer te lachen. 'Gescheiden? Daarvoor moet je toch eerst trouwen?'
'Ja, maar dat duurde me te lang. Ik heb vanmorgen gemaild dat het uit was. En daarom was ik dus te laat.'
'Heeft ze nog wat teruggemaild?' vraagt Nina.
'Jep,' zegt Daan.
'Wat mailde ze dan?' vraagt juf nieuwsgierig.
'Gewoon: *Nou, doei.*'
Iedereen begint te proesten.
'Geestig,' zegt juf. 'Maar dames, let op: onze Daan is weer vrijgezel. Dus grijp je kans.'
'Laat maar,' bromt Daan. 'Ik hoef voorlopig niet meer.'

Een kamer vol zooi en een dikke traan

De rest van de dag vliegt om. Voor ze het weten is het weer tijd om naar huis te gaan. 'Gaan we nog naar het clubhuis?' vraagt Els.
'Leuk!' zeggen de anderen. Alleen Tom schudt zijn hoofd. 'Ik moet mijn kamer opruimen. Mijn moeder was vanmorgen knap kwaad toen ze al mijn zooi zag. Als het meezit, kom ik daarna nog, maar ik weet niet of dat gaat lukken.'
'Zullen we je helpen?' biedt Els aan.
'Nee, hoor. Ik kan alles zelf wel onder mijn bed proppen.'
'Ga je dat echt doen?' vraagt Lot lachend.
'Natuurlijk niet. Dat is de eerste plek waar mijn moeder gaat kijken als ik heb opgeruimd, dus daar kom ik niet mee weg. Jammer, want het is wel de snelste manier. Nou, misschien tot straks, en anders tot morgen.'
En zo loopt Tom in zijn eentje richting huis. Maar als hij langs het veld komt, ziet hij een jongen die met een bal bezig is. Hij neemt de ene penalty na de andere. De jongen neemt weer een aanloop en schiet op het kleine ijzeren doel. De bal knalt tegen de buitenkant van de paal en vliegt weg richting Tom. De jongen rent achter de bal aan. Met een snelle beweging vangt Tom de bal op met zijn linkervoet.
Ineens blijft de jongen stokstijf staan. Hij kijkt naar Tom. En dan ziet Tom wie het is. Het is Bert.
ven is het stil. 'Mooi schot,' roept Tom dan. 'Dat scheelde niet eel. Wedstrijdje doen?'

'Oké!' roept Bert opgelucht terug.
Even later rennen de jongens samen over het veld.

'Zullen we nu stoppen?' vraagt Tom een poosje later hijgend.
Hij gaat op de grond zitten.
'Ben je echt niet meer boos op me?' vraagt Bert onzeker.
'Nee,' zegt Tom. 'We hebben het toch goedgemaakt? Je hebt wel vijf keer gezegd dat je zo'n spijt had. Dat lijkt me wel genoeg.'
'Nou, eh... hartstikke fijn,' zegt Bert verlegen.

'Hoe gaat het eigenlijk met je?' vraagt Tom. 'Ga je nog steeds met de jongens om die toen ook bij die vechtpartij waren?'
Bert schudt zijn hoofd. 'Nee,' zegt hij. 'Eigenlijk bemoei ik me met niemand meer op school. Ze willen trouwens ook niets met mij te maken hebben.'
'Vervelend voor je,' zegt Tom. 'En hoe gaat het thuis?'
'Gaat wel,' zegt Bert. 'Maar mijn moeder is wel vaak verdrietig. Ook door mij, natuurlijk...'
Het blijft even stil. Tom snapt wat Bert bedoelt. Hij vindt het allemaal maar rot. 'En je vader?'
'Mijn vader is weggegaan toen ik vijf was. Mijn zusje was toen nog een baby. Ik heb hem daarna nooit meer gezien.'
'Waarom is hij eigenlijk weggegaan?' vraagt Tom voorzichtig. 'Of, eh... mag ik dat niet vragen?'
Bert zucht eens diep. 'Je mag het best vragen, maar ik weet het niet.'
'En je moeder?' vraagt Tom. 'Weet zij het ook niet?'
'Misschien wel, maar ik durf het niet te vragen. Eigenlijk ben ik een beetje bang voor het antwoord. Ze heeft wel eens gezegd dat mijn vader veel problemen had. Ze zijn trouwens niet echt gescheiden. Ik geloof dat ze elkaar wel eens bellen, maar verder weet ik het niet.'
Met een driftig gebaar veegt Bert een dikke traan weg en dan staat hij op. 'Ik ga weer,' zegt hij snel. 'Ik moet nog huiswerk maken.'
'O, ja,' zegt Tom verschrikt. 'Ik moet ook gauw weg, want ik moest opruimen. Morgen nog een potje? Uur of vier?'
'Oké,' zegt Bert. 'Tot morgen dan.' Hij pakt de bal onder zijn arm en rent weg.

Tom kijkt hem na. Zielig, denkt hij. Ik wou dat ik iets voor hem kon doen.
Dan staat hij ook op en loopt naar huis.

Een bananenbuiger en een partijtje voetbal

Koen en Lot lopen samen naar school. 'Ik schaam me dood,' zegt Koen somber. 'Wist ik veel dat het om een onderbroekenreclame ging. Als ik dat van tevoren had geweten, had ik het nooit gedaan.'
'Ik vond het anders wel grappig,' zegt Lot.
'Nou, ik niet,' mokt Koen. 'Straks wordt die folder huis aan huis verspreid. En daar sta ik dan dus in. Nota bene in mijn onderbroek! Dan kan ik me toch zeker nergens meer vertonen?'
'Wat een onzin. Het waren toch best stoere onderbroeken?'
'Kan wel wezen,' bromt Koen. 'Maar je houdt er op school wel je mond over, hoor.'
'Tja,' zegt Lot, 'ik zal niks zeggen. Maar dat helpt natuurlijk niet. Over een poosje ziet toch iedereen het. Dan vlieg je in je onderbroek elke brievenbus in.'
'Dat is dan nog vroeg genoeg,' zegt Koen zuchtend. 'Maar tot die tijd: geen woord.'
'Oké,' zegt Lot. Ze vindt het best wel zielig voor Koen. 'Weet je,' zegt ze. 'Als ze er op school naar vragen, zeg je gewoon dat je er niet over mag praten van het reclamebureau. Dan ben je er meteen vanaf.'
En dan lopen ze samen het schoolplein op.

'Hé, Koen!' brult Daan over het plein. 'Hoe was je fotoshoot?'
Koen wordt een beetje rood. 'Ging wel,' zegt hij kortaf.

‘Hij was echt geweldig,’ zegt Lot lachend. ‘Gewoon een natuurtalent!’
‘Hoe weet jíj dat?’ vraagt Fien. ‘Ben je soms mee geweest?’
Lot knikt. ‘Ja, ik mocht mee. Leuk, hè?’
‘En waren het mooie kleren?’ vraagt Els, die er nu ook bij komt staan.
‘Prachtig,’ mompelt Koen. ‘Maar ik wil er niet over praten.’
‘Je krijgt toch zeker geen sterallures?’ roept Daan een beetje verontwaardigd.
Nu begint Lot te gieren van het lachen. ‘Ach joh, laat hem maar. Het valt toch ook niet mee om zomaar, van de ene dag op de andere, ineens fotomodel te zijn? Bovendien mag hij nergens over praten van de fotograaf. Dat mag pas als de foto’s geplaatst zijn.’
‘Wat een flauwekul,’ zegt Abdoel.
Lot haalt haar schouders op. ‘Zo gaan die dingen nu eenmaal.’ Ze geeft Koen een knipoog.
Gelukkig gaat op dat moment de bel. ‘We gaan,’ zegt Koen meteen. En dan gaat hij als een haas naar binnen.

‘Wat is er met hem aan de hand?’ vraagt Bart aan Lot. ‘Hij doet zo stom.’
‘Ach,’ zegt Lot. ‘Slecht geslapen, denk ik. Hij vond dat modellengedoe best spannend. Daar zal het wel mee te maken hebben.’
‘Nou, sorry hoor,’ zegt Bart. ‘Dat is toch zeker alleen maar leuk? Daar snap ik echt niets van.’

‘Goedemorgen,’ zegt juf Willeke als iedereen op zijn plek zit. ‘We gaan het vandaag eens over jullie toekomstplannen heb-

ben. Ik ga een lijstje maken van alle beroepen die jullie later misschien zouden willen gaan doen. Kom maar op. Wat willen jullie worden? Wie begint?'
Joris steekt meteen zijn hand op. 'Ik weet het al. Fietsenmaker of automonteur,' zegt hij.
'Dat verbaast me niets,' zegt juf. 'Je bent ook zo vreselijk handig.' Ze schrijft meteen op haar blocnote: *Joris: fietsenmaker of automonteur.* Dan kijkt ze de klas weer rond. 'Wie nu?'
'Ik word ook juf,' zegt Fien. 'Net als u. Maar dan wel bij de kleuters, want die vind ik het leukst.'
'En ik word bananenbuiger,' zegt Daan met een brede grijns.
Iedereen begint te lachen.
'Wat is dat nou weer voor stoms?' roept Abdoel.
'Helemaal niet stom,' zegt Daan. 'Hoe denk jíj dan dat al die bananen zo krom zijn geworden? Die dingen worden toevallig wel recht geboren, hoor.'
'Geboren?' roept juf Willeke lachend. 'Ook dat nog! En als het niet lukt om bananenbuiger te worden?'
'Dan, eh... dan word ik circusolifant,' zegt Daan. Hij kijkt triomfantelijk om zich heen.
De klas giert het uit.
'Nou,' zegt juf, 'mocht je nog eens iets normaals bedenken, dan horen we het wel. En jij, Abdoel?'
'Politieagent,' zegt Abdoel beslist. 'Dat wist ik al toen ik vier was.'
'Arresteer je dan ook bananenbuigende circusolifanten?' vraagt Tom.
'Zeker,' zegt Abdoel handenwrijvend. 'Graag zelfs. Lijkt me ontzettend leuk.'

Eindelijk is de lijst met beroepen klaar.
'Mooi,' zegt juf. 'En nu is het de bedoeling dat jullie allemaal proberen drie voordelen en drie nadelen op te schrijven van het beroep dat je genoemd hebt.' Ze kijkt de lijst nog eens door. Beroepen genoeg: stewardess, fietsenmaker, automonteur, politieagent, timmerman, kok, juf, piloot, verpleegster, uitvinder, speelgoedontwerper en als klapstuk bananenbuiger of circusolifant.
'Hoe moet het nou als je twee beroepen genoemd hebt?' vraagt Joris.
'Dan kies je daar gewoon de leukste van,' zegt juf.
Even later is de klas druk aan het schrijven.

Als aan het eind van de dag de bel gaat, rent iedereen uitgelaten naar buiten.
'Hé, bananenbuiger!' roept Tom. 'Kom je straks ook voetballen? Om vier uur op het veldje.'
'Oké!' roept Daan terug.
'Ik kom ook,' zegt Koen.
Tom knikt tevreden. 'Mooi,' zegt hij. 'Dan zijn we met z'n vieren en dan kunnen we een partijtje doen.'
Koen trekt zijn wenkbrauwen op. 'Met zijn vieren? Volgens mij is je rekenmachine stuk.'
'Nee, hoor,' zegt Tom. 'Bert doet ook mee.'
Koen blijft meteen staan. 'Wie?' vraagt hij verbaasd.
'Bert,' zegt Tom. 'Ik heb gisteren ook met hem gevoetbald en dat was gewoon leuk.'
'Wat is er aan de hand?' vraagt Daan, die even naast hen komt lopen.

'Bert, weet je wel?' zegt Koen. 'Die voetbalt straks ook mee, vertelt Tom net.'
Daan kijkt Tom met opgetrokken wenkbrauwen aan. 'Ben je wel helemaal lekker?' vraagt hij verontwaardigd. 'Daar ga je toch niet mee voetballen? Voor je het weet, schopt hij je doormidden. Dat zou trouwens niet de eerste keer zijn.'
Iou op, joh!' zegt Tom een beetje geërgerd. 'Bert is écht ver-.nderd, hoor.'

'Nou,' sputtert Daan, 'je weet het anders maar nooit. "Eerst zien, dan geloven," zegt mijn oma altijd. In elk geval wil ik niet samen met hem in één team. Als je dat maar weet.'
'Hoeft ook niet,' zegt Tom rustig. 'Ik speel met hem.'
'Dat wordt dan verliezen,' blaast Daan. 'Ik zal dat joch wel eens laten zien wat voetballen is.'
'Je hóéft niet mee te doen,' zegt Tom. 'Alleen als je het wilt. Maar ik heb afgesproken dat ik vandaag met hem ga voetballen, dus ík ga in elk geval.'
'Waarom voetbalt hij niet met jongens van zijn eigen school?' vraagt Koen.
'Daar gaat hij niet meer mee om,' zegt Tom. 'Hij heeft eigenlijk niemand.'
'Geen wonder,' bromt Daan. 'Hoe zou dát nou komen zeg?'
Nu wordt Tom echt kwaad. 'Nou?' vraagt hij pissig. 'Wat doen jullie? Voetballen of niet?'
Koen en Daan kijken elkaar aan. 'Voetballen natuurlijk,' zegt Koen. 'Wat dacht jij dan?'

Een halfuur later zien ze elkaar weer op het veld.
'En?' vraagt Daan. 'Waar is onze Bert nu?'
'Daar komt-ie,' zegt Koen. En jawel, in de verte zien ze Bert aankomen.
'Ha, die Bert!' roept Tom. Hij loopt snel naar hem toe. Koen en Daan lopen rustig achter Tom aan.
'Daan en Koen doen ook mee,' zegt Tom. 'Dan kunnen we mooi een partijtje doen. Wij samen tegen hen.'
'Oké...' mompelt Bert. Hij voelt zich duidelijk niet erg op zijn gemak.

Tom pakt de bal van Bert en gooit hem naar Koen. 'Jullie mogen aftrappen. Dit is ons doel en jullie nemen dat daar!'
'Okido,' zegt Koen. Even later rennen ze met z'n vieren als gekken over het veld. Het gaat aardig gelijk op. Drie-drie, vier-vier, vijf-vijf...
Twee vreemde jongens staan aan de rand van het veld te kijken. Hun fietsen liggen in het gras.
'Let op die bal!' roept Tom naar Bert.
De bal suist over het doel heen en rolt verder in de richting van de twee jongens. Bert rent erachteraan. Als hij de jongens ziet staan, houdt hij even in. Dan rent hij weer door. Maar dan doet een van de jongens een paar stappen naar voren en zet zijn voet op de bal. Bert wil de bal pakken, maar de jongen geeft hem een duw. 'Ga je nu ineens hier spelen?' vraagt hij spottend. En voor Bert het weet, krijgt hij weer een zet.
'Dat gaat mis!' roept Koen naar Tom. 'Kom mee!'
Maar Daan is hen voor. Hij rent zo hard als hij kan en springt dan tussen Bert en de jongens in.
'Probeer dat nog eens!' zegt hij kwaad.
Als de jongens zien dat Koen en Tom er ook aankomen, pakken ze snel hun fietsen en maken dat ze wegkomen.
'Dank je,' mompelt Bert met een rood hoofd.
'Geen dank,' zegt Daan kort. 'Kom op, voetballen, want ik wil nog wel even winnen.'

Een stralend bruidspaar en een witte envelop

De grote dag is eindelijk aangebroken. De zon schijnt en binnen in het gemeentehuis staat een ontroerend mooi bruidje naast een grote, sterke bruidegom voor de ambtenaar van de burgerlijke stand.
Els moet een beetje huilen als juf Willeke en Jan-Jaap elkaar het jawoord geven. Tom knijpt even in haar hand en geeft haar een knipoog.
Buurman Bol zit samen met zijn vriendin Marijke naast de ouders van juf Willeke. En ook Marijke moet een beetje huilen als ze hoort hoe haar zoon luid en duidelijk zijn jawoord aan de bruid geeft.
Het wordt een prachtige dag. De trouwplechtigheid in de kerk, de gezellige receptie, de heerlijke hapjes... Alles is even leuk en de klas van juf Willeke vindt het geweldig.

Als het bruidspaar 's avonds bij de feestzaal aankomt, staat buurman Bol hen al op te wachten. 'Welkom!' zegt hij. 'Iedereen is al binnen. Hoe gaat het met jullie?'
'Fantastisch!' zegt juf Willeke met een diepe zucht. 'Ik heb nog nooit zo'n geweldige dag gehad!'
'Ik anders ook niet,' voegt Jan-Jaap eraan toe.
'Dan hoop ik maar dat ik nu geen streep door de rekening ga zetten,' zegt buurman Bol met een ernstig gezicht. 'Ze hebben hier vanmiddag namelijk een telefoontje gehad van de brandweer. De zaal blijkt te klein voor alle gasten.'

'En nu?' vraagt Willeke geschrokken.
'Tja,' zegt buurman Bol. 'Ik heb uiteindelijk je klas afgebeld. Ik moest wel. Tenslotte scheelde dat meteen zesentwintig personen. En nu past het allemaal net.'
'Afschuwelijk!' roept Willeke.
Jan-Jaap knikt. 'Dat is inderdaad supervervelend!'
'Ja,' zegt buurman Bol. 'Kennelijk zijn ze tegenwoordig nogal streng bij de brandweer.'
'Afschuwelijk,' zegt Willeke nog eens.
Buurman Bol zucht eens diep. 'Er zat gewoon niets anders op. Maar ik heb met de kinderen afgesproken dat jullie maandag op school het feest nog maar eens over moeten doen.'
'Ja,' zegt juf Willeke somber, 'dat is in elk geval beter dan niets. Alleen heb ik geen idee hoe we dat moeten regelen.'
'Maak je geen zorgen,' zegt buurman Bol. 'Dat maak ik wel in orde. Dus ga nu maar gewoon genieten. Let op, want ik ga jullie officieel welkom heten!'
Buurman Bol loopt naar voren en pakt de microfoon van de standaard. 'Dames en heren...' begint hij plechtig.
Meteen wordt het stil. 'Lieve mensen. Het doet mij bijzonder veel genoegen u te kunnen meedelen dat ons bruidpaar inmiddels is gearriveerd. En ik zou dan ook willen zeggen: geef ze een hartelijk applaus!'
Alle gasten beginnen enthousiast te klappen. Stralend loopt het bruidspaar tussen de gasten door naar voren en gaat daar op twee mooi versierde stoelen zitten.
'En dan wil ik nu graag het woord geven aan de vader van de bruid,' zegt buurman Bol.
De vader van juf Willeke staat op en neemt de microfoon over

van buurman Bol. Maar op dat moment rent er plotseling een man op de buurman af. Hij fluistert buurman Bol iets in zijn oor.
'Momentje,' zegt buurman Bol tegen de vader van juf Willeke. 'Sorry voor de onderbreking.'
Hij pakt de microfoon weer even terug en zegt: 'Dames en heren. We hebben zojuist bericht gekregen dat we in verband met een speciale brandweeroefening onmiddellijk deze zaal moeten ontruimen. Ik wil iedereen dus verzoeken om zo snel mogelijk naar buiten te gaan. Nogmaals, het gaat alleen maar om een oefening, dus raakt u vooral niet in paniek!'
'Ze moeten ons wel hebben, hè?' zegt buurman Bol even later tegen Willeke en Jan-Jaap. 'Maar ik heb begrepen dat het niet zo lang zal duren.'
'Dat zullen we dan maar hopen,' mompelt Jan-Jaap.

Als iedereen buiten is, horen ze in de verte het geluid van een brandweerwagen.
'Het lijkt wel alsof hij hiernaartoe komt,' zegt de moeder van juf Willeke.
Even later rijden twee rode wagens met gillende sirenes en flikkerende zwaailichten de straat in. Voor de deur van de feestzaal stoppen ze. Vier brandweermannen springen uit de cabines en gooien de achterdeuren open.
'Daan!' gilt juf Willeke opeens. 'En Koen en Lot en Tom en Els en Nina...'
Eén voor één springen de kinderen van haar klas uit de wagens.
'Verrassing!' roept Abdoel.
Jan-Jaap begint te bulderen van het lachen, en juf Willeke krijgt

gewoon tranen in haar ogen van blijdschap. Ze vindt het echt heerlijk dat haar klas er nu toch bij kan zijn.
'En nu naar binnen allemaal,' zegt buurman Bol vrolijk. Met de uitgelaten kinderen om hen heen loopt het bruidspaar de zaal in. Na een poosje heeft iedereen zijn plekje weer gevonden.

‘En na deze korte onderbreking...’ zegt buurman Bol in de microfoon, ‘geef ik nu opnieuw het woord aan de vader van de bruid.’
Lachend staat de vader van juf Willeke op. Als hij klaar is met zijn toespraak houdt Marijke, de moeder van Jan-Jaap, ook nog een toespraakje. En dan is het tijd voor de eerste hapjes en drankjes.

‘Heb je je toespraak wel bij je?’ vraagt Koen een beetje ongerust aan Daan.
‘Wat dacht je dan?’ zegt Daan. ‘Die heeft buurman Bol in zijn zak, anders raak ik hem toch maar kwijt.’
‘Ben je zenuwachtig?’ vraagt Els.
‘Kom nou,’ zegt Daan zorgeloos. ‘Dat gaat heus wel goed. Ik ga nu eerst eens wat lekkers halen. Ik heb al heerlijke bitterballen zien staan.’
Een halfuurtje later geeft buurman Bol Daan een teken dat hij kan beginnen.
‘Mag ik mijn toespraak?’ vraagt Daan.
Buurman Bol pakt een opgevouwen papier uit zijn zak. ‘Alsjeblieft. Veel succes!’
Daan stapt naar voren en pakt de microfoon. ‘Dames en heren,’ begint hij. ‘Geacht bruidspaar...’ Hij vouwt het vel open. Maar dan staart hij met grote ogen naar de letters op het papier.
‘Begin dan!’ spoort buurman Bol hem aan. ‘Of heb je mijn leesbril nodig?’
‘Beginnen?’ vraagt Daan vrolijk. Hij moet een beetje lachen. ‘Zeker weten?’
Buurman Bol knikt heftig van ja.
‘Oké,’ zegt Daan. ‘Geacht bruidspaar... Twee pakken melk, drie ons gesneden jonge kaas, een kilo aardappelen...’

De zaal begint te brullen van het lachen. Buurman Bol wordt helemaal rood en voelt nog eens driftig in zijn zakken. Opgelucht haalt hij dan een ander papier uit zijn broekzak. 'Dit moet je hebben,' zegt hij. Hij geeft het aan Daan en propt het boodschappenlijstje weer in zijn zak.
'Geacht bruidspaar,' begint Daan opnieuw.

Omdat jullie van elkaar houwen
gaan jullie nu ook samen trouwen
en Jan-Jaap is echt niet suf
want hij trouwt met onze lieve juf
en jullie gaan heel snel verhuizen
naar een oud huis vol met muizen...

Iedereen begint weer te lachen.
'Nou, dat hoop ik toch niet!' roept juf Willeke.
'Anders rijmde het niet,' zegt Daan onverstoorbaar.
Jan-Jaap knikt. 'Dan is het goed.'

De klas vindt jullie heel erg lief
kijk om je heen – dat zie je zo
en daarom geven wij dus nu
meteen een mooi cadeau

Op het moment dat Daan dat gezegd heeft, komen Abdoel en Nina samen, met het bankje tussen hen in, naar voren en zetten het voor het bruidspaar op de grond.

‘O, wat schitterend!’ roept juf.
‘En alle namen staan erop!’ zegt Jan-Jaap. ‘Moet je kijken. Geweldig!’
Fien lacht. ‘Daar kun je vast lekker op zoenen.’
‘Meteen even proberen!’ roept de vader van juf Willeke.
‘Ja!’ roept de zaal in koor. ‘Zoenen, zoenen, zoenen...!’
Jan-Jaap en Willeke kijken elkaar aan. En dan gaan ze samen op het bankje zitten en geven elkaar een dikke kus.
‘En?’ vraagt Fien.
‘Perfect,’ zegt Jan-Jaap. ‘Dit is absoluut een perfect zoenbankje. Jongens, ontzettend bedankt allemaal!’
‘Ho, ho, we zijn er nog niet!’ zegt buurman Bol in de microfoon. Hij geeft een grote, witte envelop aan Daan en zegt dat hij weer verder moet gaan met zijn toespraak. ‘Heb je je papier nog?’ vraagt hij voor de zekerheid.
‘In mijn zak,’ zegt Daan achteloos. ‘Dit doe ik uit mijn hoofd.’
Hij pakt de microfoon en gaat dan verder:

En nu dan nog een cadeau
wat het is, dat zie je zo...

‘Kort maar krachtig!’ roept buurman Bol schaterend. ‘Wat een onvoorstelbaar knap gedicht!’
‘Ja,’ zegt Daan. ‘Ik was er zelf ook wel tevreden mee.’ Opgewekt loopt hij naar het bruidspaar en geeft de witte envelop aan juf Willeke.
‘Dank je wel,’ zegt juf. ‘Spannend, hoor!’ Voorzichtig maakt ze de envelop open. Daarna kijkt ze vragend naar Daan. ‘Is er misschien iets fout gegaan? Er zit niets in!’

'Klopt,' zegt Daan met een grijns. 'Dat is ook nog geheim.'
Jan-Jaap begint te lachen. 'In één woord fantastisch!' roept hij. 'Ik ben dol op geheimen! Nou schat, dan wachten we het maar gewoon af. Vind je ook niet?'
Juf Willeke moet er ook erg om lachen. En de hele zaal lacht met hen mee als Daan een diepe buiging maakt en de zaal weer in loopt.
Dan begint de muziek te spelen en barst het feest pas goed los.

Een val in de vijver en een vrolijke tuinkabouter

Als Koen en Lot de dag na het feest bij het nieuwe huis van Jan-Jaap en Willeke aankomen, is buurman Bol al druk bezig.
'Bent u er al?' roept Lot verbaasd.
Buurman Bol bekijkt zichzelf eens goed. 'Ik geloof het wel,' zegt hij.
'En wat bent u al ver!' zegt Koen.
'Een kwestie van gewoon doorgraven,' zegt de buurman.
Op dat moment stopt er een auto met een aanhanger voor het huis. Joris en zijn vader stappen eruit. 'Zoals beloofd komen we even wat spullen brengen,' zegt de vader van Joris. 'Vijverfolie, een tuinslang en nog wat extra tuingereedschap.'
'Fantastisch,' zegt buurman Bol blij.
'En kijk eens wat we nog gevonden hebben,' roept Joris. Hij haalt uit de achterbak een doos vol snoeren en slangen, en een of ander vreemd apparaat.
'Dat is onze oude fontein,' zegt de vader van Joris. 'Dat ding was kapot, maar Joris heeft dagenlang zitten prutsen om hem weer aan de praat te krijgen.'
Buurman Bol lacht. 'Geef mij zo'n zoon!'
'U mag hem wel eens lenen,' zegt de vader van Joris gul. 'Maar nu moet ik weg, want ik heb een afspraak. Ik laat de aanhanger hier staan, dan kunnen jullie daar alle rommel in gooien. Vanavond haal ik hem wel weer op.' Hij koppelt de aanhanger los en rijdt de straat uit.

‘Wat moeten we nu gaan doen?’ vraagt Koen.
‘Onkruid trekken,’ zegt buurman Bol. ‘En overal liggen nog van die grote stenen. Die kunnen we straks mooi gebruiken als we de vijver afmaken. Gooi ze daar maar op een hoop.’
Even later stappen ook Abdoel, Tom en Els de tuin in. Ze hebben, net als Koen en Lot, alle drie een plastic tas met een plant meegenomen.
‘Zijn jullie al klaar?’ vraagt Abdoel.
‘Had gekund,’ zegt buurman Bol. ‘Maar we hebben nog wel wat klusjes voor je bewaard.’
Abdoel lacht even. ‘Mooi zo,’ zegt hij. ‘Ben ik toch niet voor niets mijn bed uit gekomen.’
In de verte komt Daan ook aanfietsen. Hij sjeest in volle vaart langs de zijkant van het huis de achtertuin in, en duikt met fiets en al voorover in het gat dat buurman Bol net gegraven heeft.
Iedereen kijkt geschrokken naar Daan, die gelukkig meteen weer overeind krabbelt.
‘Tjonge, jonge,’ zegt Abdoel. ‘Ongelooflijk, zeg. Wat doe jij weer stom!’
‘Hou je mond!’ roept Daan boos. ‘Poep op, joh!’
‘Gaat alles nog goed met je?’ vraagt buurman Bol bezorgd.
‘Ja, hoor,’ zegt Daan. ‘Zo rem ik altijd.’
‘Jammer dat er nog geen water in die vijver zat,’ roept Lot lachend.
‘Volgende keer beter,’ zegt Abdoel. Hij pakt de fiets van Daan bij de bagagedrager en tilt hem uit het gat. Dan pakt Daan snel nog even de doos, die onder zijn snelbinders vandaan is geschoten, uit de kuil en zet hem ergens aan de kant.
‘Daar zit zeker een struik in,’ zegt Lot.
Daan knikt. ‘Zoiets, ja.’

'En nu aan de slag allemaal,' zegt buurman Bol. 'Als jullie nu snel het onkruid tussen de tegels van het pad wegkrabben, dan graaf ik die vijver verder af. Over een uurtje komt de rest van de klas en dan moet dit klaar zijn.'
Meteen begint iedereen als een razende te werken en dan schiet het werk enorm op.
'Dat is dat,' zegt buurman Bol ten slotte. Hij gooit zijn schep aan de kant en stapt de kuil uit.
'Als we nu voorzichtig het folie in het gat leggen, dan kunnen we het daarna met water vullen.'

Samen met de kinderen vouwt hij het vijverfolie uit, en dan leggen ze het netjes over het gat heen. 'Nu moeten we het voorzichtig aandrukken,' zegt de buurman.
Daan wil meteen in het gat springen.
'Doe niet zo stom, man!' roept Joris. 'Voor je het weet zit er een gat in. Laat mij maar even.' Hij trekt zijn schoenen uit, stapt heel voorzichtig op het folie en drukt het netjes aan. Dan pakt hij de fontein uit de doos en zet hem op de bodem van de vijver. Met een paar oude stoeptegels zorgt hij ervoor dat het fonteintje rechtop blijft staan.
Koen sluit intussen de tuinslang op de buitenkraan aan, en even later stroomt het water de vijver in.

'Schiet het al op?' vraagt Bart, die samen met Fien het tuinpad op loopt.
Daan knikt. 'Het gaat prima.'
Bart kijkt eens naar de enorme hoop zand. 'Waar laten jullie dat allemaal?' vraagt hij.
'Misschien kun jij even een gat graven, dan gooien we het daar wel in,' zegt Daan. Hij duwt Bart een schep in zijn hand.
Buurman Bol begint te lachen. 'Dat zou lekker opschieten, zeg! Nee, hoor. We kunnen dat zand goed gebruiken om de tuin mooi vlak te maken.'

Even later komt de rest van de klas er ook aan. Juichend en joelend zet iedereen zijn fiets tegen het hek en loopt dan met zijn of haar plant het tuinpad op.
Buurman Bol wijst waar alles het beste kan staan. 'Niet allemaal tegelijk in die tuin,' zegt hij. 'Twee tegelijk. Hier zijn plas-

tic kaartjes en een speciale stift. Dan kan iedereen een kaartje aan zijn plant of struik hangen met zijn naam erop.'

Als de laatste plant in de grond is gezet, begint iedereen te juichen.
'Waar is jouw plant eigenlijk?' vraagt Tom aan Daan.
'O!' zegt Daan. 'Bijna vergeten.' Hij pakt de doos die hij heeft meegenomen en maakt hem open. Er komt een fikse tuinkabouter uit. 'Voor bij de vijver,' zegt hij.
'Dat noem ik geen plant,' merkt Tom op.
'Goed gezien,' zegt Daan. 'Maar dit vond ik leuker.'
En Daan is niet de enige, want iedereen vindt de kabouter geweldig. Even later staat hij met een kaartje om zijn nek vrolijk naast het vijvertje.
Buurman Bol kijkt om zich heen. 'Is het mooi of is het mooi?'
'Het ziet er geweldig uit!' zegt Lot. 'Ik denk dat ze vreselijk blij zullen zijn met hun tuin.'
'O, jee!' roept de buurman opeens. 'We zijn nog iets vergeten. Wat stom!' Hij loopt naar het schuurtje en komt even later terug met het witte bankje. Voorzichtig zet hij het naast de vijver. Het staat daar fantastisch.
Nou,' zegt buurman Bol trots, 'we kunnen best wel stellen dat dit een geslaagd project is.'
'Mee eens!' zegt Daan. 'Goed gelukt.'
En dan gaan ze allemaal doodmoe, maar zeer tevreden naar huis.

Het geheime cadeau en twee figuren op het schoolplein

'Wat een heerlijk hotel was dat,' zegt juf Willeke. Stralend zit ze naast Jan-Jaap in de auto. 'Ik voel me toch zo gelukkig!'
'Anders ik wel,' zegt Jan-Jaap. 'Moe, maar gelukkig!'
'Laten we straks nog even bij ons nieuwe huis gaan kijken,' stelt juf Willeke voor.
Jan-Jaap lacht. 'Vooruit dan maar.'
Een klein uurtje later rijdt hij de oprit op.
'Nog een weekje,' zegt Jan-Jaap, 'dan wonen we er echt. Komend weekend regelt Teun een busje en dan brengen we de laatste spullen over.'
'Die vriend van jou is goud waard,' zegt juf Willeke. 'Geweldig, hoor. En in de zomervakantie kunnen we samen mooi de tuin opknappen. Wel een beetje jammer dat we dan wéér aan het werk moeten. Maar ja, daarna is alles klaar en dat is ook wat waard.'
Samen lopen ze het tuinpad op. Plotseling blijft Willeke staan. 'Kijk nou eens! Heb jij dat soms geregeld?'
'Wat?' vraagt Jan-Jaap. Maar dan ziet hij wat Willeke bedoelt. Samen staren ze stomverbaasd naar de prachtige tuin.
'Hoe kan dat nou?' roept Willeke uit. 'Moet je dat vijvertje zien! En die kabouter! Ongelooflijk!'
Jan-Jaap bukt en kijkt op de kaartjes die aan de planten hangen. 'Ik snap het al,' zegt hij. 'Dat bedoelde Daan natuurlijk met die lege envelop die we op het feest kregen. Dit is dus het geheime cadeau van je klas!'

Samen bekijken ze het ene kaartje na het andere: Fien, Abdoel, Nina, Koen, Els, Lot, Bart...
'Wat zijn het toch een schatten,' zegt Willeke. 'Wat zal ik ze missen als ze na de vakantie bij Martijn in de klas zitten.'
Jan-Jaap slaat een arm om haar heen. 'Nou,' zegt hij. 'Dat kan ik me voorstellen.'
'Wat staat dat bankje daar gezellig,' zegt Willeke. 'En we hebben een echt fonteintje. Wat klettert het leuk, hè?'

‘Ja,’ kreunt Jan-Jaap. ‘En ik moest al zo nodig...’ Dan haalt hij snel de sleutel uit zijn broekzak, maakt de achterdeur open en rent naar de wc.

De volgende dag staat de klas al heel vroeg op het plein te wachten tot hun juf eraan komt.
‘Daar komt ze!’ roept Bart. ‘En Jan-Jaap is er ook bij.’
‘Hoi, juf!’ roept Els. ‘Hoe gaat het? Was het leuk in het hotel?’
‘Geweldig,’ zegt juf Willeke. ‘We zullen jullie straks alles vertellen.’
‘Alles?’ vraagt Daan.
‘Nou,’ zegt Jan-Jaap lachend. ‘Laten we zeggen: bijna alles...’
Een kwartiertje later zitten ze allemaal in de klas.
‘Ik wil beginnen met jullie allemaal ontzettend te bedanken,’ zegt juf Willeke. ‘We hebben zo’n geweldige bruiloft gehad. En toen we na het hotel nog even bij ons nieuwe huis gingen kijken, was er nóg zo’n enorme verrassing! En zodra we al die kaartjes aan de planten zagen hangen, wisten we natuurlijk meteen aan wie we dat allemaal te danken hadden.’
‘De tuin ziet er in één woord geweldig uit,’ zegt Jan-Jaap. ‘Wat zullen jullie hard gewerkt hebben!’
‘Nou, buurman Bol ook,’ roept Lot. ‘Hij heeft ons geholpen.’
‘Zoiets vermoedde ik al,’ zegt Jan-Jaap. ‘En dan ook nog een vijver, met een echte fontein!’ ‘Dat heeft Joris geregeld,’ zegt Koen. ‘Helemaal zelf in elkaar geknutseld.’
‘Gerepareerd,’ verbetert Joris.
‘Jullie zijn echt de liefste klas van de wereld,’ zegt juf Willeke. ‘Jammer dat jullie volgend jaar naar meester Martijn gaan, want ik zal jullie verschrikkelijk missen.’

‘Als we nu gewoon vreselijk ons best gaan doen om slechte cijfers te halen,’ roept Daan. ‘Dan blijven we allemaal zitten.’
‘Of u gaat gewoon met ons mee naar de volgende klas,’ zegt Els.
Jan-Jaap begint te lachen. ‘Ook een idee,’ zegt hij.
‘Klinkt leuk, maar dat zit er echt niet in,’ zegt juf. ‘Maar volgend jaar zien we elkaar vast nog vaak genoeg.’
Dan vertelt Jan-Jaap nog even over het hotel met de prachtige bruidssuite, de schitterende eetzaal en het heerlijke eten. Totdat hij ineens ziet hoe laat het is. ‘Jongens, nogmaals heel erg bedankt voor alles, maar nu moet ik als een haas aan het werk. En jullie ook, denk ik.’ Hij geeft juf Willeke nog een kus, en dan loopt hij snel het lokaal uit.

Een tijdje later is iedereen ingespannen aan het werk.
Als Koen even opkijkt van zijn papier ziet hij twee mensen het plein af lopen. Een vrouw en een jongen. Hij ziet alleen hun ruggen. Wie zouden dat zijn? vraagt Koen zich af. En wat zouden ze hier gedaan hebben? ‘Hé!’ sist hij dan naar Lot. ‘Kijk, daar!’
Maar als Lot naar buiten kijkt, zijn ze al weg. ‘Wat is er aan de hand?’ vraagt ze zacht.
‘Jongens, doorwerken,’ zegt juf Willeke. ‘Nu stil!’
Lot kijkt Koen vragend aan.
Koen haalt zijn schouders op. ‘Straks,’ fluistert hij. En dan gaat hij snel weer aan het werk.

‘Wat was dat nou op het plein?’ vraagt Lot, als ze samen met Koen naar huis loopt.
‘Ach,’ zegt Koen, ‘niet bijzonders, eigenlijk. Ik zag gewoon een

vrouw en een jongen op het plein lopen en toen vroeg ik me af wie dat waren en wat ze kwamen doen.'
'Hoe zagen ze eruit?'
'Weet ik niet. Ik zag ze alleen van achteren. Maakt ook niet uit. Ik heb nu ook wel wat anders aan mijn hoofd, want vandaag zou die folder verspreid worden. Ik durf bijna niet naar huis.'
'Zal ik met je meegaan?' vraagt Lot. 'Dan heb je wat afleiding.'
'Graag,' zegt Koen somber.

Even later zitten Koen en Lot samen op de onderste tree van de trap. Koen staart alleen maar naar de klep van de brievenbus. Hij zweet peentjes en Lot is ook een beetje zenuwachtig. 'Komen jullie nou gewoon binnen zitten,' zegt de moeder van Koen. 'Zo erg is het allemaal toch niet?'
'Niet erg? Niet erg?' roept Koen wanhopig. 'Straks ziet iedereen het! Ik schaam me echt dood. Ze lachen zich natuurlijk allemaal een ongeluk als ze die foto's zien. Ik hoor ze al roepen: "Ha ha, Koen het fotomodel in z'n onderbroek!" Nou, leuk hoor. Straks durf ik niet eens meer naar school!' Koen heeft zich echt nog nooit zo ongelukkig gevoeld.
'Nou, ja...' probeert Lot hem een beetje op te vrolijken. 'Je hebt er in elk geval een paar flinke cadeaubonnen aan overgehouden.'
'Alsof ik daar wat aan heb,' bromt Koen.
'Nu ophouden, Koen,' zegt zijn moeder dan. 'Gebeurd is gebeurd, en over een paar dagen is iedereen het weer vergeten.' Ze draait zich om en loopt terug naar de woonkamer.
Lot slaat even troostend een arm om Koen heen.

Dan kleppert de brievenbus en valt er een enorm pak papier op de mat. Koen schiet erop af. Met trillende handen rukt hij het plastic van de stapel folders af, en dan begint hij als een gek te bladeren. Zijn moeder heeft de brievenbus ook gehoord en komt weer de gang in lopen. 'En?' vraagt ze.
Op dat moment begint Koen te gieren van het lachen, en Lot begint ook te schateren.
'Mam,' roept Koen opgetogen, 'kijk, mijn hoofd staat er niet op!' Hij laat dolgelukkig een pagina vol hemden en onderbroeken zien. 'Je ziet alleen mijn benen en nog een stukje van mijn bovenlijf. Zo kan niemand zien dat ik het ben!'
'Behalve wij dan, natuurlijk,' zegt zijn moeder vrolijk.
Koen schrikt. 'Maar jullie zeggen toch niks, hè? Nee, toch.'
Lot kijkt lachend naar de moeder van Koen. 'Nou,' zegt ze plagend. 'Dat hangt er natuurlijk nog even van af. Kijk, als mijn aardrijkskundewerkstuk nou af was...'
'Goed, hoor,' zegt Koen met een zucht. 'Dat maak ik dan wel voor je.'
Lot begint te proesten. 'Nee, joh!' roept ze. 'Dat was een grapje, Koen! Gewoon maar een grapje. Maak je geen zorgen, ik zeg niets. Het is ons geheim en dat blijft het.'

Een vreemde zaak en een dolgelukkige moeder

De volgende dag lopen Koen en Lot naar school, maar Koen is niet echt vrolijk.
'Ben je soms tóch nog zenuwachtig over die foto's?' vraagt Lot. Ze kijkt Koen eens onderzoekend aan.
'Een beetje wel,' zegt Koen vlak.
'Hoezo? Je hoofd staat er toch niet op. Wat zeur je nou?'
'Ja,' bromt Koen, 'maar straks herkennen ze me aan mijn knieën.'
Lot begint te gieren van het lachen. 'Doe niet zo stom, zeg! Wat zeiden je ouders daarvan?'
'Mm,' zegt Koen. 'Die zijn nu boos. Mijn moeder vond dat ik me verschrikkelijk aanstelde.' 'Nou, dat snap ik. Het is toch ook onzin? Ze wéten op school niet eens dat je in die folder zou staan, sufferd.'
Koen denkt even na. 'Ja...' zegt hij dan aarzelend. 'Ja, dat is wel waar...'
'Precies,' zegt Lot. 'En nu ga je weer gewoon vrolijk doen. Over drie dagen is het zomervakantie. Leuk, toch?'

'Wanneer krijgen we die foto's van jou nou eindelijk eens te zien?' vraagt Daan, als Koen en Lot samen het plein op lopen.
Ja, hoor. Daar heb je het al, denkt Koen nijdig. 'Geen idee,' zegt hij kortaf. 'Misschien worden ze niet eens gebruikt. Ik weet het gewoon niet.'
'Nou ja,' zegt Daan. 'Er zijn ergere dingen op de wereld moet je

maar denken. En je hebt die cadeaubonnen tenslotte al binnen.'
Tot Koens grote opluchting begint er verder niemand meer over de foto's. Gelukkig maar. Voor de zekerheid had hij zijn sportbroekje toch maar thuis laten liggen. 'Helemaal vergeten,' zegt hij, als juf Willeke er tijdens de gymles naar vraagt. Maar omdat het de eerste keer is dat hij zijn gymbroek is vergeten, mag hij in zijn spijkerbroek voor scheidsrechter spelen. Met bedekte knieën. En dat bevalt Koen echt prima.

Ze zijn nog maar net terug van de gymzaal als meester Jan, de directeur van de school, binnenstapt. 'Mag ik even?' vraagt hij aan juf Willeke. Juf knikt en gaat achter haar bureau zitten.
'Ik wil iets met jullie bespreken,' zegt meester Jan. 'En ik wil dat jullie heel goed luisteren. Een poosje geleden kwam er een moeder met haar zoon bij mij. De vraag was of die jongen hier misschien op school zou kunnen komen, omdat het niet goed met hem gaat op zijn eigen school. Als hij hier zou komen, zou hij volgend jaar bij jullie in de klas zitten.'
'Leuk!' zegt Joris.
'Ho, ho,' zegt meester Jan. 'Ik ben nog niet klaar, Joris. Laat me gewoon even uitpraten. In dit geval heb ik de kwestie namelijk eerst uitgebreid met het hele team besproken. En uiteindelijk was de conclusie dat we de vraag ook aan jullie moesten voorleggen omdat jullie mening van belang is. De jongen om wie het gaat, heet Bert de Vroege. Hij zit op basisschool De Heul.'
Nu wordt het zo stil in de klas dat je een speld kunt horen vallen. Want alle kinderen in de klas weten haarfijn over wie meester Jan het heeft.

Bart is de eerste die begint te praten. 'Maar meester! Die jongen heeft Tom het ziekenhuis in geramd. Dan kan hij toch niet hier in de klas komen? Zoiets kun je Tom niet aandoen?'
Meester Jan glimlacht even naar Tom. 'Nou,' zegt hij. 'Toevallig is Tom de enige van jullie die hier al iets vanaf wist, want we hebben uiteraard eerst met hem en zijn ouders gesproken. En ik kan jullie verzekeren dat Tom het goedvindt.'
'Echt?' roept Nina. Vol ongeloof kijkt de klas naar Tom, die rustig ja knikt.
'Ja,' zegt meester Jan. 'Maar nogmaals, jullie mening is voor ons ook van belang. Dus als er iemand misschien nog iets wil zeggen...?'
'Ik,' zegt Abdoel meteen. 'Want ik zou het toch echt belachelijk vinden als die jongen hier in de klas zou komen. Moet je kijken wat een ellende die gast heeft aangericht! Dan kan Tom het wel goedvinden, maar zo meteen pakt die Bert een ander! Dat kun je toch niet hebben?'
Er gaat een enorm geroezemoes op in de klas.
Maar dan staat Daan plotseling op en hij kijkt de klas rond. 'Ik snap wat je bedoelt, Abdoel,' zegt hij. 'Maar, eh...' Daan wordt nu een beetje rood. 'Ik, eh... we hebben laatst met hem gevoetbald. Enne... ik had het ook niet gedacht, maar hij is... ja, hij is eigenlijk best aardig.'
Nu staat Tom op. Hij houdt een gloedvol betoog over wat er met Bert is gebeurd. Over zijn vader, die plotseling wegging toen hij nog maar vijf jaar was. Over de enorme spijt die Bert had toen Tom in het ziekenhuis lag, over het bezoek van Bert waarbij hij zo gehuild had. Dat hij toen wel vijf keer zijn excuses had aangeboden. En ook over de zogenaamde vrienden van Bert.

Als Tom is uitgesproken, is het opnieuw doodstil in de klas.
'Ja...' zegt Daan na een poosje. 'En daarom... Nou ja, eh... daarom zou hij misschien toch een nieuwe kans moeten krijgen. Want op zijn oude school lukt dat nu natuurlijk niet meer.' Tom steekt zijn duim op naar Daan. 'Goed gezegd. Ik ben het er helemaal mee eens, en ik hoop nu maar dat iedereen er zo over denkt.'
De hele klas mompelt instemmend, behalve Abdoel, die nog steeds bokkig voor zich uit kijkt.
'Echt, Abdoel!' zegt Tom vol vuur. 'Als Bert bij ons in de klas zit, zul je vanzelf wel merken dat Daan gelijk heeft. Bert de Vroege is aardig. En ik weet zeker dat hij heel erg zijn best zal doen.'
'Nou...' zegt Abdoel. 'Dan, eh... Nou ja, dan zullen jullie wel gelijk hebben.'
'Betekent dat dat jij het ook goedvindt?' vraagt Tom nog even voor de zekerheid.

Abdoel knikt. 'Ja, dat wel... Maar ik blijf het eigenlijk toch wel een vreemde zaak vinden. Want toen Tom in groep drie op De Heul door Bert werd gepest, kwam hij bij ons op school. En nu komt Bert na zo veel jaar ineens óók bij ons in de klas. Dat is toch zeker heel raar?'
'Dat is het,' zegt Tom. 'Het is best raar. Maar ook wel heel mooi. Want mijn leven werd een stuk leuker toen ik bij jullie kwam. En dat zal straks ook voor Bert gelden als hij hier komt.'

Meester Jan en juf Willeke hebben met stijgende verbazing geluisterd naar wat er allemaal gezegd is door de klas.
'Ongelooflijk!' zegt meester Jan tegen juf Willeke. 'Ik wist al dat jij een superklas had, maar dit slaat echt alles. Ik vind het in één woord fantastisch.'
Juf Willeke knikt. 'Ja,' zegt ze dan. Ze kijkt even rond. 'Ik ben ontzettend trots op jullie. Op Tom, op Daan, op Abdoel... op jullie allemaal! Jullie zijn stuk voor stuk kanjers.'
Meester Jan glimlacht. 'Nou, dan zal ik nu meteen maar de moeder van Bert gaan bellen om te vertellen dat Bert hier van harte welkom is.'
'Geweldig,' zegt juf. 'Wat zal die blij zijn, want ze heeft zich zo veel zorgen gemaakt om Bert. En dan kan ze hem het goede nieuws zelf vertellen als hij straks uit school komt.'

Die middag om vier uur gaat de deurbel. Wie zou dat zijn? denkt de moeder van Bert. Ze loopt naar de deur en doet open. 'Hallo!' zegt ze een beetje beduusd. 'Wat, eh... wat kan ik voor jullie doen?'

‘We kwamen vragen of Bert buiten komt,’ zegt Tom.
De moeder van Bert slaat haar handen even voor haar gezicht. ‘Ach, Tom,’ zegt ze dan. ‘Wat fijn. Wat ontzettend fijn! Vanochtend heb ik ook al zo’n aardig telefoontje gekregen van de directeur van jullie school. Bert kan bijna niet geloven dat hij mag komen! En nu dít nog...’
De moeder van Bert is echt dolgelukkig. ‘Ik ga hem meteen roepen,’ zegt ze. ‘Bert! Kom eens gauw! Ze vragen of je buiten komt!’
‘Wie?’ roept Bert terug.
‘Kom nu maar gauw!’
Meteen horen ze een hoop gestommel en komt Bert de trap af lopen. Hij wordt een beetje rood als hij het groepje van vijf ziet.
‘Ga je met ons mee naar het clubhuis?’ vraagt Koen.
‘Graag,’ zegt Bert verlegen. ‘Ik kom meteen.’ Hij trekt snel zijn jas aan en loopt naar buiten. ‘Dag mam!’
‘Veel plezier!’ zegt zijn moeder. Met tranen van blijdschap blijft ze in de deuropening staan, en ze hoort nog net dat Daan zegt: ‘Als je de ramen maar heel laat!’ Dan volgt er een hoop gelach en zegt Daan: ‘Nee hoor, Bert! Geintje!’